Lydia Rood

DANS! DANS!

Leopold / Amsterdam

Ben jij al BWGR?
www.bwgng.nl

Eerste druk 2012
© 2012 tekst: Lydia Rood
Omslagontwerp: Annemieke Groenhuijzen
Omslagbeeld: Getty Images
Uitgeverij Leopold, Amsterdam / www.leopold.nl
ISBN 978 90 258 6073 8 / NUR 283/284

Uitgeverij Leopold drukt haar boeken op papier met het FSC®-keurmerk.
Zo helpen we waardevolle oerbossen te behouden.

Pinky heeft niets door. Ruth blijft achter haar in de deuropening staan; haar vriendin staat midden in de kamer met haar armen te zwaaien. Ze heeft een draadloze koptelefoon op en maakt rare geluidjes. Ruth denkt even dat ze danst, maar in dat geval heeft Pinky daar niet echt talent voor. Wat doet ze?

Ruth doet een paar stappen naar voren. Pinky draait zich met een gil om, haar hand tegen haar borst.

'Wat doe je, man, ik schrik me lam!' Ze hijgt ervan, maar toch draait ze zich meteen om en begint weer met haar armen te zwaaien en te springen.

'Wat doe jíj? Schriftelijke cursus gymmen?' Ruth heeft meteen spijt als ze ziet dat Pinky in elkaar krimpt. Pinky kan niet zo goed tegen kattigheid.

'Doe niet zo flauw...' Pinky wijst. Op de computer staat het een of andere spel open. De webcam is actief; Pinky zelf is zichtbaar op het scherm. Ze begint weer te springen – of toch te dansen? De muziek is aanstekelijk.

'Even dit level afmaken,' zegt Pinky. Maar dan verschijnt in het scherm groot het woord VERLOREN.

Pinky draait zich lachend om. 'Probeer jij maar eens!'

'Wat dan? Wat is dit?'

'De Beweging,' zegt Pinky. 'Dope, joh.' Ze klikt en er begint een filmpje. Drie jongens doen een hiphopdans – Ruths voeten beginnen vanzelf mee te doen. Het is veel te vlug voorbij.

'Doe nog eens?'

Pinky grijnst. 'Ik wist wel dat je het leuk zou vinden!'

Ja, Ruth houdt van dansen. Heel vroeger zat ze op ballet, en later heeft ze tien streetdancelessen gekregen. Daar kent ze Pinky van.

'Zullen we weer op dansen gaan?' vraagt Pinky.

'Ik mag niet... geloof ik,' zegt Ruth aarzelend. Ze moet veel in het huishouden helpen sinds haar moeder ziek is. 'Mijn moeder wordt knorrig als ik over dansen begin.'

'Kan niet,' zegt Pinky. 'Je moeder is aardig. Het mag vast wel.'

Ze speelt het filmpje nog eens af. Met hun hoofden dicht bij elkaar kijken ze ernaar. Ruth zou wel zó door het scherm heen willen kruipen en meedansen. Zonder dat ze het wil doet haar hele lijf mee. Maar als ze met haar hoofd tegen Pinky's wang knalt, roept Pinky: 'Au, gek!' Ze moeten allebei lachen.

'Hij is goed hè,' zegt Pinky. 'De Dansmeester. Ik denk dat ik verliefd op hem ben.'

'Doe niet zo idioot,' zegt Ruth. 'Je wordt toch niet verliefd op een filmpje?'

'Hij is zó goddelijk.' Pinky zucht. 'Zoals hij beweegt!'

'Hij is niet eens knap,' bromt Ruth. Toch snapt ze het wel. De jongen doet haar denken aan een vriend van haar neef. Sexy en toch verlegen. Gespierd en toch aardig.

'Hij bedenkt die dansen zelf,' zegt Pinky. 'Hij is heel beroemd, hoor.'

'Hoe heet hij?' vraagt Ruth.

'De Dansmeester, dat zeg ik toch.'

'Hij heeft toch wel een gewone naam?'

'Hij heeft geen gewone naam nodig,' zegt Pinky. Ze knijpt haar schuine ogen tot spleetjes. Zo ziet ze er precies uit als het kleurige poppetje dat Ruth aan een touwtje om haar pols heeft. Van haar moeder gekregen – het brengt geluk.

'De Dansmeester is de Dansmeester,' gaat Pinky door. 'Meer hoef ik niet te weten. Als ik maar naar hem kan kijken.' Pinky start de video opnieuw.

Als het filmpje afgelopen is, zegt ze: 'Wel jammer dat je me stoorde. Ik had het level bijna uitgespeeld. Dan was ik Erkende Beweger geworden.'

'Erkende Beweger,' herhaalt Ruth. Het brengt haar van streek. Normaal weten zij en Pinky alles van elkaar. En nu is Pinky op eigen houtje een heel andere wereld binnengestapt. Komt het doordat ze straks naar verschillende scholen gaan?

Dat vond Pinky juist nog zo erg; ze heeft er maanden over lopen jammeren.

Pinky laat zich achterover op bed vallen, steekt haar benen in de lucht en draait met haar enkels.

'Ja, ik ben een Beweger nu. Lid van de Beweging dus, hè. Zijn ze op het Van Kemenade College allemaal, zegt Jojo.'

'Jojo?'

'Woont achter me, ze gaat naar de tweede. Het is toch wel een toffe school, hoor. Iedereen danst!' Ze kijkt Ruth aan. 'Jammer dat jij...'

'Laat nou maar!' Ruth bijt op haar lip. Ze snapt zelf ook niet wat haar moeder tegen dansen heeft.

'Je was altijd fanatieker dan ik,' zegt Pinky.

Ruth geeft geen antwoord. Ja, ze ligt in bed vaak te bedenken dat ze weer op dansles mag. Dan stelt ze zich voor dat ze wordt ontdekt op televisie. En hoe ze dan een beroemde danseres wordt... Ze kijkt altijd goed naar de clips op muziekzenders en doet de bewegingen op haar kamer na. Het moet wel zachtjes, want haar moeder heeft snel last van lawaai.

Kon zij ook maar naar het Van Kemenade College! Zij moet naar dat stomme Erasmus, alleen omdat haar neef er al op zit.

Pinky is niet te stuiten. Ze springt overeind en klikt wild door de pagina's; paarsblauwe flitsen schieten over het scherm, flarden muziek stampen door de kamer.

'Het is niet alleen maar een game, hoor. Als je hogerop komt, leert de Dansmeester je nieuwe moves. Je kunt zelf ook moves verzinnen... En kijk, je kunt berichtjes sturen naar andere Bewegers. Nu ken ik al kinderen van mijn nieuwe school! Dankzij de Beweging.' Pinky straalt helemaal. Wat een ommezwaai! De laatste maanden kon ze behoorlijk chagrijnig zijn. Ze klikt een filmpje aan.

'Hij is gewoon té leuk,' zegt Pinky met een zucht.

Dus dit is de Dansmeester! Mensen die zo soepel bewegen kent Ruth alleen van televisie. Maar de Dansmeester ziet eruit alsof hij om de hoek zou kunnen wonen. Ze doet zijn bewegingen na. Ze zijn minder simpel dan ze eruitzien, maar als Pinky de video voor de derde keer start, doet ze ze moeiteloos.

Ruth laat zich meeslepen; ze vergeet dat ze op Pinky's kamertje is, ze zit helemaal in de muziek. Ze wórdt de muziek. Haar lijf weet uit zichzelf wat het moet doen. Een woord popt op in haar hoofd: vrij.

'Wauw!' Pinky zit weer op het bed. 'Jij hebt echt talent, man. Je moet echt ook Beweger worden! Meld je aan, nu meteen.'

'En dan?' vraagt Ruth.

'Dan zijn we pas écht BFF's,' zegt Pinky.

Twee jongens beginnen in hun handen te klappen. Ruths schoenen dreunen op het tafelblad. Het geklap en gebonk voegen zich bij het ritme in haar hoofd. Ze doet de move nog eens en nog eens – en dan nog een keer, ietsje anders. Ze danst de schilfers van de tafel. Ze danst het stof uit haar oren. Om haar heen lachende gezichten. Ze danst!

'Ruth. Ruth! Hou daar onmiddellijk mee op!' De muziekleraar staat dreigend in de deuropening van het lokaal.

Ruth kijkt om. Ze houdt abrupt op met dansen en springt van de tafels die ze aan elkaar geschoven heeft.

'Wat haal jij in je hoofd, Ruth Abel?' Stoop kijkt haar dreigend aan. Ruth kijkt gewoon terug. Dansen is geen misdaad. Het hóórt bij muziek. En het hoort bij haar. Sinds Pinky haar bij de BWGNG heeft gehaald, doet ze het weer iedere dag.

'Zitten. Luisteren. Of papier prikken op het plein,' zegt Stoop. Maar aan zijn ooghoeken ziet Ruth dat hij niet echt boos is. Ze gaat braaf zitten, op de eerste de beste plek. Dat is per ongeluk naast Barrel.

'Goed begin,' zegt die met opgetrokken wenkbrauwen. 'Danscursus gedaan in de vakantie?'

Barrel is een droogkloot. Dik en betweterig. Ruth geeft geen antwoord. Hij begrijpt toch niets van dansen – hij zou niet eens mee kunnen doen aan de BWGNG, zelfs al zou hij willen. Gelukkig zijn er andere kinderen in de klas die meer in huis hebben. En die hebben met open mond staan kijken naar haar nieuwste move. Ze trommelt opgewonden op tafel. Nu willen haar klasgenoten vast ook bij de BWGNG. Eindelijk – ze had al veel eerder een demonstratie moeten geven.

De muziekleraar zet zijn zwarte dokterstas op zijn tafel en haalt er drie ouderwetse elpees uit. Even later dendert er muziek door de klas. Lekker uptempo voor zo'n ouwelullennummer. Ze heeft moeite stil te blijven zitten. Onder tafel danst ze mee.

'Au!' Barrel kijkt giftig opzij. 'Stamp niet zo!'

Ze heeft per ongeluk zijn tenen geraakt. Maar hij hoeft niet zo te schreeuwen! Ze stompt hem met haar elleboog.

'Moet ik je nu wéér waarschuwen, Ruth Abel?'

Ruth schudt braafjes haar hoofd en kijkt gauw naar haar tafel. Mensen vinden altijd dat ze uitdagend kijkt. Het komt door de kleur van haar ogen, hel groenblauw, maar dat gelooft nooit iemand. Brutaal, zeggen leraren.

Zou de nieuwe move goed genoeg zijn voor een dansfilmpje? Die jongens klapten zo enthousiast... Ruth droomt er al een tijdje van een dansje op te nemen, maar ze durft nog niet. Straks staat ze op internet voor lul. Nee, ze moet eerst héél goed zijn.

'Let jij wel op?' Stoop klinkt nu echt geërgerd. 'Wat is dit?'

Ruth maakt zich los van haar eigen gedachten. Wat bedoelt Stoop?

'Nu graag, Ruth. Waar luisteren we naar?'

Naar de prehistorie, denkt Ruth. 'Naar oude hardrock,' zegt ze.

'Naam van de band?'

Ruth haalt hulpeloos haar schouders op. Wat kan haar dat nou schelen? Ze luistert altijd alleen of ze iets mooi vindt. Of ze erop kan dansen. Ze luistert met haar armen en benen, met haar billen en haar heupen; woorden zeggen haar niets. Ze kent maar één band bij naam: Fireball, het garagebandje van haar neef Rif.

'Fireball,' zegt ze per ongeluk hardop.

'Bijna.'

Ze kijkt op. Tot haar verbazing glimlacht Stoop.

'Dat is het nummer, niet de band. Oké, voor deze keer.' Hij gaat door met de les. 'Weten jullie dat hardrock de voorloper is van metal? En metal is méér dan zomaar muziek. Het is zelfs gebruikt om mensen mee te martelen...' Ruth vindt het niet moeilijk meer om op te letten. Martelen, met muziek?

Aan het eind van het uur roept Stoop haar bij zich.

'Je leek me nooit het type om op tafels te dansen,' zegt hij. 'Jij stelt je anders nooit aan.'

'Nee,' zegt Ruth.

'Dus wat moest dat? Waarom deed je dat?'

Omdat dit een saaie rotschool is, denkt Ruth. Omdat ik liever bij Pinky op het Van Kemenade had gezeten, waar iedereén danst. Pinky heeft al bendes nieuwe vriendinnen, allemaal BWGR's. Omdat dit suffe Erasmus alleen nog te redden is met...

'... de Beweging,' zegt ze per ongeluk hardop.

'De wát?'

Wat een dopehead is ze! Volwassenen hoeven niets te weten van de BWGNG.

'Niks. Een soort club,' zegt ze.

Stoop kijkt vragend en dwingend tegelijk. Hij is aardig, dat maakt het moeilijk om tegen hem te liegen.

'We dansen.' Meer is ze écht niet van plan te vertellen.

'O... nou, oké. Als je het maar niet meer in de klas doet. En veeg die tafels schoon.'

Ruth doet het dansend, met de tune van de BWGNG in haar hoofd.

'Best goeie move was dat,' zegt Mariska als Ruth even later door de gangen loopt. 'Waar heb je die van?'

'Verzonnen,' zegt Ruth. Ze loopt snel door.

Mariska kijkt fronsend op. Maar Ruth bedoelt het niet rot. Ze heeft alleen tijdens het tafels boenen een idee gekregen en dat wil ze meteen aan Rif vertellen.

'Wacht nou even,' zegt Mariska. Haar hakken klikken op de tegels. 'Ik wou je wat vragen.'

'Geen tijd, sorry.'

Maar Mariska laat zich niet zo gemakkelijk afwimpelen.

'Je hebt hem van je dansmeester, hè?'

'Wat?'

'Nou, die beweging. Die danspas. Die move of hoe ze het ook noemen. Ze zeggen dat jij een dansmeester hebt.'

Ruth giechelt en houdt haar pas iets in. 'Het is niet míjn dansmeester – het is dé Dansmeester.'

Ruth springt op en tikt tegen een restje slinger dat van het plafond afhangt. Als ze neerkomt, gaat ze diep door haar knieën. Met een golvende beweging van haar nek en schouders komt ze weer overeind. Hoe heeft ze zo lang zonder dansen gekund?!

'De Dansmeester?' vraagt Mariska.

'Deze move heb ik van hem. Maar hij is tien keer zo goed. Honderd keer.' Ze lijkt Pinky wel.

'Bedoel je van tv?' Mariska klinkt onzeker. Ruth grijnst. Mariska Spaans is de modekoningin, de gadgetkoningin, de hitkoningin, de gamekoningin – in alles de voorloper. En zij weet nog niks van de BWGNG!

Maar wacht eens... Ruth trekt haar gezicht weer in de plooi. Als ze Mariska zover krijgt dat ze meedoet, volgen de anderen vanzelf.

'Nee. Van de Beweging. Chill, man! We zijn met een heleboel.'

'Een heleboel wat?'

'Nou, Bewegers, hè. Ik dacht dat jij ook wel bij de Beweging zou zijn. Je bent altijd met alles het eerste.'

'O, de Beweging!' zegt Mariska. 'Ja, die ken ik natuurlijk wel. De Beweging, ja, hè hè.'

Ruth grinnikt en rent ervandoor. Geregeld! Nu is haar klas binnen de kortste keren óm. Kan het toch nog leuk worden hier.

Buiten loopt Ruth naar Rif en zijn vrienden toe. Rif is al vijftien en zij pas twaalf, maar omdat hun vaders tweelingbroers zijn, kan hij haar niet wegsturen. Ze past altijd op dat ze niet te eigenwijs doet en ze vertelt het thuis nooit door als Rif een vriendinnetje heeft. En als ze tussen zijn vrienden staat, houdt ze zich gedeisd. Maar nu kan ze haar mond niet houden.

'Ik weet wat!' zegt ze tegen haar neef.

'Kop dicht, kleine,' zegt een van de grote jongens. Hij zit in de band van Rif. 'Wij hebben het over grotemensendingen.'

'Ik ook,' zegt Ruth. 'Ik heb een megavet idee waar jullie enorm mee kunnen scoren. De hitlijsten mee kunnen halen. Rijk mee kunnen worden!' Ze kijkt Jim aan, de drummer van Fireball. Jim is leuk. En hij lacht haar nooit uit.

'Rijk nog wel!' smaalt haar neef, maar Jim lacht op een aardige manier. Hij geeft Rif een stomp. Opeens krijgt Ruth nóg een idee. Ze bloost ervan.

'Hé, Jim – jij zit toch op dinges, zo'n vechtsport?'

'Kungfu.'

'Kun je het goed?'

Jim knikt. 'Zevende tuan.'

Maar Rif zegt: 'Wat wil je nou, garnaal?'

Ruth kijkt haar neef aan. 'Jullie moeten een clip maken,' zegt ze. 'En opsturen naar de Dansmeester. Dan worden jullie in één keer beroemd.'

Jim grinnikt. 'Ja hoor. En wat heeft dat met kungfu te maken?'

'De Dansmeester?' vraagt Rif.

'O,' zegt Job, een van zijn vrienden. 'Die ken ik wel, die heeft een megavet spel op internet.'

'Ik volg het niet,' zegt Rif. 'Wat moet ik daarmee?'

'Nou, je kunt ook clipjes insturen. Dansclipjes – met muziek natuurlijk. Dus als je nou iets met vechten doet... dan val je meteen op in de Beweging.'

'Strak plan, garnaal.' Rif knikt. 'Ik weet niet eens wat die Beweging van jou is!'

'Jullie willen toch wel beroemd worden?'

'Natuurlijk.' Jim springt plotseling op, met zijn handen

strak en zijn armen gekruist. 'Kom maar op!' Hij maakt hakkende bewegingen in Ruths richting.

'Doe normaal,' zegt Rif. 'Het is mijn nichtje maar, hoor.'

'Dan niet,' zegt Ruth en ze loopt weg. Het was echt een heel goed idee. Maar Rif denkt altijd dat hij het beter weet.

Ze leunt tegen het schoolhek en pakt haar telefoon om Pinky te melden dat de BWGNG nu ook eindelijk haar school gaat veroveren.

Op weg naar huis krijgt Ruth een berichtje. Het komt van hNdrX – o, dat moet Jim zijn. Ruth voelt dat ze kleurt. Een berichtje van Jim! Hij is dus naar haar op zoek gegaan. Zo'n leuke gast als Jim! Hij is ook al minstens vijftien.

Een klap. Een jongen landt met zijn skateboard op de stoep en maakt vlak voor haar neus een hele draai. Twee scooters spuiten weg op hun achterwielen. Jongens houden ook van dansen, denkt Ruth. Alleen noemen sommigen het three-sixty en wheelie. Of kungfu.

'Check dit even.' Jim heeft een link naar een filmpje meegestuurd. Al fietsend bekijkt Ruth het. (Dit is dus de reden dat ze eerst geen eigen telefoon mocht. Maar ze kijkt heus wel uit. Ze heeft toch ooghoeken!)

Jims clipje is een beetje schokkerig. Hij springt telkens dicht naar de camera toe en schopt ernaar met een griezelig uitdrukkingsloos gezicht. Het is niet helemaal wat Ruth bedoelde. Dit ziet er niet uit als dansen – meer als een jongen die kungfu oefent op zijn kamer.

Haar telefoon gaat. Ruth houdt al fietsend de telefoon bij haar oor.

'Bedoelde je zoiets?' vraagt Jim in haar oor.

Ruth kijkt weer naar het schermpje. Nou ja, Jim beweegt op zich prima.

'Kun je dan nog drummen?' vraagt Ruth.

'Nee, niet live natuurlijk. We moeten het monteren. Die

Dansmeester is echt een dope gast, hè? Alleen is onze muziek veel beter.'

Ruth vindt eigenlijk dat Fireball nog wel wat mag oefenen.

'Dus jij turnt Rif om?'

'Ik?'

'Als jij het zegt, doet hij wel mee. Mij lacht hij uit. Kungfu Panda zegt hij tegen me.'

Ruth schudt haar hoofd.

'Ik ben twáálf, hoor.'

'Volgens Rif ben je het enige meisje dat deugt.'

Ruth weet van verbazing niks te zeggen. Een vrachtauto op de kruising vlak voor haar toetert luid. Ruth remt hard, te hard. Haar stuur klapt om, ze valt en de telefoon vliegt uit haar handen, bijna onder een van de reusachtige wielen.

'Ben jij gék?' roept de chauffeur die een stuk verderop uit de vrachtwagen klimt.

'Sorry.' Ruth springt overeind. 'Ik lette niet op.'

'Dat mag je wel zeggen!'

'Het ging niet expres.' Ruth slaat haar ogen voor de zekerheid neer. Straks belt hij de politie nog.

'Nou ja, je mankeert tenminste niks.' Met een moppergezicht stapt de chauffeur weer in. Achter hem toeteren auto's, maar dat houdt op als hij doorrijdt.

Ruth raapt haar telefoon op. Hij werkt nog, maar Jim heeft de verbinding verbroken.

'Haal die fiets weg, juffie,' zegt een automobilist door zijn open raampje. 'De weg is niet van jou, hè.'

Ze heeft haar knie geschaafd, het brandt gemeen. Gelukkig is ze bijna thuis.

Als ze haar fiets heeft weggezet, bekijkt ze het filmpje nog eens. Grijnzend loopt ze naar binnen. Ja, Jim is een echte Kungfu Panda. Maar dat geeft niet; Jim en Rif gaan een clip opnemen voor de BWGNG!

'Joehoe!' roept ze naar de woonkamer. Ze hoort de stemmen van haar moeder en Nadia van de thuiszorg. Ze gaat niet naar binnen. Eigenlijk moet ze de afwasmachine uitruimen, maar ze loopt direct door naar haar kamer.

Gonzend van de adrenaline stuurt ze een berichtje aan Pinky.

'Ik ga in een clip dansen en de Dansmeester krijgt me te zien!!! Misschien verdien ik wel een masterclass.'

'Cool! Je kunt het. Dan zegt je moeder echt geen nee meer. De Dansmeester is de Dansmeester.'

Ruth popelt nu al. Ze zet haar computer aan en koopt een nieuwe move van de punten die ze heeft verdiend. De Dansmeester doet hem heel duidelijk voor, maar hij is best moeilijk. Ze start het filmpje steeds opnieuw. Als ze even uitblaast, belt Pinky.

'Kom je even langs, kaarten uitwisselen voor de Danstour? Ik heb een paar nieuwe.'

'Oké,' zegt Ruth. Maar dan hoort ze haar moeder roepen. O ja, de afwasmachine.

'Morgen, oké?' antwoordt ze. 'En ik moet je ook nog wat vertellen over Jim.'

'Toch niet dé Jim?'

Maar daar geeft Ruth geen antwoord op. Jim is toch veel te oud voor haar!

'Je zit toch niet de hele tijd te gamen, hè?' vraagt haar vader als ze langs zijn kamer komt. Moet hij zeggen! Zijn ogen zitten vastgeplakt aan zijn scherm. Een tweede scherm op het enorme bureau laat een screenshot van een racespel zien. Haar vader verdient zijn geld met games, maar Ruth legt hij aan de ketting. Niet eerlijk, vindt ze.

'Nee hoor,' zegt Ruth. Ze kijkt hem recht aan. 'Ik dans.'

'Dan is het goed, bliksemoog,' zegt hij.

'DANSEN? JIJ?!'

'Wat was jij aan het stampen vanmiddag?' vraagt haar moeder tijdens het eten. 'Ik voelde het in mijn kiezen.' Ze is in haar rolstoel aan tafel gekomen; geen goed teken.

'Ik stamp niet,' zegt Ruth geërgerd. Ze doet toch haar schoenen uit?

'Ze danst,' zegt haar vader.

'Mark,' zegt haar moeder. 'Je weet toch waar we het laatst over gehad hebben.'

Haar vader zucht. Ruth kijkt van hem naar Roelie. Wat hebben haar ouders nu weer bekonkeld? Ze probeert Isa's blik te vangen. Maar haar zus duwt hoopjes aardappelpuree heen en weer over haar bord. Zeker weer aan het lijnen.

'Mag ik het ook weten?' vraagt Ruth. Ze kijkt haar moeder strak aan.

'Je weet het al,' zegt die. 'Je weet het best. Maar je doet het weer, iedere keer doe je het weer. Altijd die hoge verwachtingen. Altijd weer hopen op dingen die niet kunnen.'

'Roelie,' sust Mark nu. 'Je maakt jezelf van streek. Dat is nergens voor nodig. Oké, Ruth danst een beetje. Onschuldig toch?'

'Dat denk jij. Jij hebt geen idee hoe het is.'

Ruth trekt een gezicht naar Isa. Nu gaat haar moeder zielig doen. Maar haar zus doet of ze het niet merkt. Ze hangt krom in haar stoel, alsof ze ook een spierziekte heeft. Ruth gaat een beetje rechter zitten.

'Lekker, die pasta,' zegt Mark. 'Dat kun je goed hoor, spaghetti à la carbonara.' Het werkt. Haar moeders gezicht klaart op.

Ruth denkt dat ze weet waarover Mark en Roelie het hebben gehad. Over de toekomst. De ziekte die alles kan verpesten. De kansen. Tegenvallers en afknappers.

Haar moeder zucht. 'Sorry. Het is heus niet leuk om altijd

de spelbreker te zijn. Maar ik zou het zo erg vinden als jullie iets heel graag willen en dan... Dat jullie net zo teleurgesteld worden als ik.' Ze kijkt van Isa naar Ruth, smekend.

'Ik hou gewoon van dansen!' zegt Ruth. 'Ik word later danseres!'

Roelie gaat niet op de uitdaging in. En Mark zegt: 'Hou erover op, Ruth.'

'Maar Roelie...'

'Roelie maakt zich gewoon zorgen over je. Niet zo gek, als je er even over nadenkt.' Hij kijkt haar streng aan, en nu is het Ruth die zucht. Mark kiest altijd Roelies kant.

'Die stomme ziekte ook,' zegt ze later tegen Pinky. Ze ligt achterover op bed, haar voeten tegen de muur. 'Zo wint mijn moeder altijd.'

'Winnen? Wat is de wedstrijd dan?'

'Eh...' Ruth denkt na. Nee, er is geen wedstrijd. En toch voelt het alsof zíj verliest. Ze voelt zich soms opgesloten thuis. Gevangen in wat haar ouders voor haar willen. Verstrikt in hún angst.

'Hé!' Pinky schreeuwt in haar oor. 'Kan dát het niet zijn? Die ziekte van je moeder?'

'Hoe bedoel je?'

'Nou, mag je daarom niet op streetdance? Omdat... jij het misschien ook...' Pinky houdt in.

Het is waar. Ruth en Isa hebben ieder vijftig procent kans om dezelfde spierziekte te krijgen als hun moeder. Toen ze klein was, dacht Ruth altijd dat Isa dan maar ziek moest worden, dan ging zij zelf vrijuit. Nu beseft ze dat ze ook allebei ziek kunnen worden. Maar ze kunnen net zo goed allebei gespaard blijven. Kansen zijn maar kansen.

'Misschien is dansen te zwaar voor je,' zegt Pinky.

'Begin jij nou ook al?'

'Nee. Sorry. Vertel me dan maar over Jim en dat clipje.'

Dat doet Ruth. Pinky wordt er al net zo opgewonden van als zij.

'Mag ik meedoen?'

'Als Rif het goed vindt. Het is zijn band.'

Maar Pinky luistert niet. Er komt een langgerekte jubelkreet uit de telefoon.

'Wieha! We krijgen de Dansmeester te zien!'

'Eerst nog heel veel oefenen,' zegt Ruth nuchter. 'Morgen?' Ze schopt de dekens van zich af en bekijkt haar kuiten. Echte danskuiten zijn het. Haar moeder heeft het mis; Ruth is gemáákt om te dansen.

'Kan niet,' zegt Pinky. 'Ik moet mijn broertje van de naschoolse halen.'

'Ik ga wel met je mee,' zegt Ruth. 'Dan oefenen we onderweg.' Ze steekt haar voeten omhoog en danst in de lucht.

De volgende ochtend belt Ruth aan bij Rif, die een stukje verderop in de straat woont. Menno, Rifs vader, doet open. Hij ziet er heel anders uit dan haar eigen vader Mark, ook al zijn ze een eeneiige tweeling. Zijn hoofd is kaalgeschoren; dat vindt hij makkelijk. Menno is kunstenaar en draagt bijna altijd een overall, met gereedschap in alle zakken. Als hij ziet dat het zijn nichtje is, draait hij zich om en roept: 'Rif!'

'Ook goeiemorgen, oom Menno,' zegt Ruth. 'Oom' zegt ze erbij voor straf, omdat hij niet groet.

Menno gromt en sloft naar de keuken. Zeker nog geen koffie gehad.

Rif is klaar om naar school te gaan. Ook al zonder een woord loopt hij mee naar buiten. Even later hoort ze hem vloeken in het schuurtje.

'Kan ik bij jou achterop?' vraagt hij. 'Mijn band is leeg.'

'Best,' zegt Ruth. Rif is geen dikzak.

'Grapje, garnaal,' zegt Rif. 'Ik fiets wel. Anders kiepen we nog achterover.'

17

'Wat heeft je vader?' vraagt Ruth. 'Hij deed zo knorrig.'

'Geldzorgen. Balen, want ik heb nieuwe snaren voor mijn gitaar nodig.'

Ruth springt achterop. 'Zou best fijn zijn als Fireball doorbrak, hè,' zegt ze. 'Dan hoef jij je vader niet telkens om geld te vragen.'

Rif kijkt even om en schudt zijn hoofd. 'Die fantasieën van jou!'

'Een beetje dromen kan geen kwaad. Stel je voor dat de Dansmeester mij...' Ze verbetert zichzelf: '... jou ontdekt. Zou toch kicken zijn!'

'Hij is wel cool, dat moet ik toegeven,' zegt Rif. 'Hij kan écht dansen, hè!'

'Ben je ook Beweger geworden?' vraagt Ruth ademloos. Dat zou goed nieuws zijn!

Rif knikt. 'Ja, gisteren. Vet, man! Jim was ook online, hij vroeg nog naar je.'

'Wat is... jouw nickname?' vraagt Ruth. Het zou stom staan om naar die van Jim te vragen.

'Fireball natuurlijk.'

'O ja.' De letters van zijn naam, Rif Abel, plus een extra L. De band is ook naar Rif genoemd. 'Pinky en ik willen die demo wel indansen.'

'Jij?' Rif schijnt het idee erg grappig te vinden.

Dat is nu al de tweede keer! Ruth bijt op haar lip. Ze heeft het gisteren gewaagd om haar nieuwe move op internet te zetten. Zou ze voor gek staan?

'Leuk bedacht, garnaal,' zegt Rif.

Klein zijn is helemaal niet erg voor een danser. Groot en dik zijn is veel erger. Zoals Barrel – die wordt vast al moe als hij een aanraakscherm moet bedienen!

Bij de ingang van de school botsen ze bijna tegen Mariska op.

'Was dat je vriendje?' vraagt zij even later als ze de school in lopen.

18

'Nee joh. Het is mijn neef maar.'

'Leuke neef,' zegt Mariska. 'Mag ik hem?'

Ruth lacht. Altijd hetzelfde met Rif!

Ze gaat vast naar de klas en opent internet op haar telefoon. Razendsnel tikt ze 'bwgng' in haar browser. Gauw even kijken of er nog berichtjes voor haar zijn.

Yeliz komt naast haar zitten.

'Leuk hemdje,' zegt ze. 'Zo kan iedereen zien dat je bij de Beweging hoort. Ik doe morgen ook mijn paarse shirt aan.'

Ruth kijkt naar beneden. Ja, ze draagt paars. Ze heeft het die ochtend zonder nadenken aangetrokken, maar het is eigenlijk wel een goed idee van Yeliz, want paars is de kleur van de BWGNG.

De bel is nog niet gegaan. Ruth heeft nog tijd om de site van de BWGNG te openen. Haar vingers trillen en ze tikt een paar keer mis. Eindelijk krijgt ze het forum open. Ja, er zijn reacties! De eerste gaat over haar laatste filmpje: 'Dat is echt een coole move, check die van mij ook eens!' Er staat een linkje bij. Ruth herademt. Ze staat tenminste niet voor gek.

Er is ook een berichtje van hNdrX. Jim!

'Hey Ruthie! Die nieuwe move van jou, daar kun je een zombie mee wakker maken. Ik wil wedden dat de Dansmeester hem uitkiest. Dan krijg je les van hem!'

En opeens denkt Ruth niet meer aan paarse shirtjes. Opeens is haar ruggengraat van gel en haar heupen van pudding, haar handen doen het niet meer en de kriebels lopen uit haar nek langs haar wangen. Stel je toch voor...!

Wat? Les van de Dansmeester? Of dat Jim haar leuk vindt?

'Wat is er?' vraagt Yeliz. 'Voel je je niet goed?'

Ruth schiet rechtop. 'Niks aan de hand.' Ze pakt haar etui, maar dat valt uit haar handen. Ze schrikt zó dat ze even geen adem krijgt. Zo begon het bij haar moeder ook... Ze grijpt opnieuw en knijpt. Een krachteloos kneepje.

Gelukkig merkt Yeliz niets.

'Ik dacht aan de Dansmeester,' zegt Ruth. Ze denkt: maar eerst dansen met Jim!

'Moet je kijken!' Pinky stoot Ruth aan. Ze moeten haar broertje van de opvang halen en lopen er dwars door het winkelcentrum naartoe. Niet omdat het de kortste weg is, maar omdat het leuker is dan door de kale straten te lopen.

Ruth volgt Pinky's blik. In het midden van het winkelcentrum is een overdekt pleintje met een plantenbak in het midden. Een neppig fonteintje staat paars verlicht water in een bassin te klateren. Opeens klinkt er muziek. Een jongen begint vlak bij de fontein dansbewegingen te maken. Twee meisjes doen mee. En opeens verschijnt uit het niets een stel jongens en meisjes. Ze trekken hun jassen uit; daaronder dragen ze allemaal een paars T-shirt. Ze dansen! Wat net nog een willekeurig zootje winkelende pubers leek, die niets met elkaar te maken hadden, is nu opeens een strak opgezette dansvoorstelling.

Ruth kijkt met open mond toe. Die T-shirts, die bewegingen, die muziek – dit zijn BWGR's! Meteen krijgt ze zin om mee te doen, maar dat kan natuurlijk niet. Je kunt meteen zien dat er is geoefend op deze dans. Iedereen beweegt tegelijk. Sommige moves herkent Ruth: die heeft ze zelf ook van de Dansmeester gekregen. Andere zijn nieuw voor haar. Wat ziet dit er goed uit! Van opwinding wipt ze van de ene voet op de andere.

Een van de dansers glimlacht naar haar – misschien vanwege haar paarse shirt.

'Een flash mob!' zegt Pinky. Haar stem klinkt hees. 'Een flash mob van de Beweging!'

'Ja man, een dance mob,' zegt Ruth. Een warme gloed trekt door haar buik en borst. Wat een geluk dat ze hier net langsliepen!

Ruth kan bijna niet stil blijven staan. Maar ze moet, anders verpest ze alles. Ze pakt haar telefoon om het te filmen, maar het is al te laat. Zo plotseling als het is begonnen houdt het dansen ook weer op. De jongens en meisjes verbergen hun paarse kleding weer en verspreiden zich. Even later is er niets bijzonders meer te zien. Voorbijgangers met plastic tassen lopen lachend door.

'Wooh!' zegt Ruth. Ze kijkt naar de fontein, waarin het licht ook lijkt te dansen. 'Dit wil ik ook.'

'Jas dicht en doorlopen,' zegt een groot meisje. 'Dat was de afspraak.'

Die denkt dat zij erbij hoort! Het warme gevoel wordt sterker. Gloeiend van trots trekt Ruth Pinky mee. Dit is dus de BWGNG, en zij horen erbij!

'En later,' zegt Ruth, 'gaan we samen naar de Dansacademie.' Later: als ze uit huis is. Als ze eindelijk kan doen wat ze wil.

Dan zegt Pinky iets geks: 'Je hebt toch ook wel vrienden op school?'

Ruth schaamt zich opeens. Maar ze hoeft geen antwoord te geven, want uit het portiek van een winkel maakt zich een meisje los. Mariska.

'Hebben jullie het gezien?' Ze spert haar ogen met de aanplakwimpers wijd open. 'Ik kwam net te laat.'

'Het was de Beweging,' zegt Ruth. 'Een dance mob van de Beweging.'

Mariska kijkt voor de tweede keer die dag naar Ruths shirt, waarvan nog een klein stukje te zien is.

'Was jij er ook bij?' vraagt ze. Het klinkt jaloers.

Ruth zegt: 'Deze keer nog niet.'

Pinky kijkt haar verbaasd aan.

'Hoe moet je daar lid van worden?' vraagt Mariska.

'Gewoon,' zegt Ruth, blij dat ze Mariska eens iets kan uitleggen. 'Je gaat naar de site van de Beweging en je meldt je aan. Je gaat naar de Studio, je maakt je eigen avatar en die kleed je aan in de Kleedkamer. En dan ben je klaar om mee te dansen.'

Mariska heeft haar telefoon gepakt en zoekt op internet. 'En die Dansmeester?'

Ruth ziet hem al op het schermpje verschijnen.

Mariska ademt scherp in. 'Wauw, wat een hunk! Om in te bijten!' Mariska is al dertien, want ze is vorig jaar blijven zitten. Ze denkt anders dan Ruth.

'Gewone Bewegers krijgen de Dansmeester echt niet zomaar te zien!' zegt Pinky.

'Je moet je omhoog dansen in de Battle. En moves insturen. Zo makkelijk is het niet,' zegt Ruth.

'We zullen zien,' zegt Mariska zelfverzekerd.

'Arrootje,' zegt Pinky als ze even later doorgelopen zijn. 'Ze komt er nog wel achter. En trouwens, jij danst toch veel beter.'

Ruth moet lachen, want dat kan Pinky helemaal niet weten.

'Zou het ons lukken?' vraagt ze. 'De Dansmeester in het echt te zien krijgen?'

'Jou misschien,' zegt Pinky. 'Als jij een dansles verdient, neem je mij dan mee? Ik wil weten hoe hij lacht...'

'Natuurlijk!' zegt Ruth. 'Maar ik denk dat ik eerst nog wel een jaartje moet oefenen.'

'Een jáár!' Pinky fronst.

'Hou je het zo lang niet uit?' Ruth lacht.

Maar Pinky blijft strak kijken.

'Wat bedoel je dan?'

'Niks, laat maar.'

Opeens weet Ruth waar Pinky bang voor is. Haar vriendin denkt aan de kans dat Ruth ziek wordt in dat jaar.

'Je bedoelt er wél wat mee!'

'Echt niet!' zegt Pinky haastig. 'Het is gewoon balen dat we zo lang moeten wachten. Maar je hebt waarschijnlijk gelijk. We zijn nog niet goed genoeg. We zijn nog niet eens Senior Bewegers.'

'Lieg niet,' zegt Ruth. Ze kan bijna geen adem halen van

boosheid. 'Je bedoelde dat ik voor die tijd misschien... Je denkt dat ik de ziekte van mijn moeder krijg. Jij óók al!' Woedend geeft ze een zwiep aan een standaard met verjaardagskaarten. 'Je denkt gewoon stiekem achter mijn rug dat ik óók in een rolstoel terechtkom!' Ruth loopt hard vooruit, het winkelcentrum uit. Ze hoopt dat Pinky achterblijft. Dat ze het opgeeft.

Maar zo is Pinky niet. Ze holt gewoon achter Ruth aan en haalt haar in. Oké, dan kan ze het krijgen: 'Je zit gewoon te wáchten tot ik ziek word!'

'Je kletst,' zegt Pinky. Het klinkt lullig. Zó lullig dat Ruth niet eens de moeite neemt haar tegen te spreken.

Jammer genoeg zijn ze intussen bij de school van Pinky's broertje. Nu kan Ruth niet meer uitvallen. De rest van de dag moet ze met dat rotgevoel rondlopen.

DANSEN OP HET SCHOOLPLEIN

De volgende dag ziet Ruth verschillende kinderen in paarse T-shirts lopen. Ruth heeft het hare ook weer aan. In blauw staat erop: 'BWGNG'. Haar moeder is met de strijkletters aan komen dragen.

'Het is niet dat ik het je niet gun, hoor Ruth,' zei ze erbij. En ze had het shirt strak gehouden terwijl Ruth de letters erop streek. Lastig, vond Ruth, want nu wil ze eigenlijk niet meer dansen achter Roelies rug.

Een tweedeklasser wijst naar haar borst. Ze zit haar brood te eten op een muurtje in de kantine, want het regent.

'Wat betekent dat? Is het een code of zo?'

Ruth grijnst.

'Of een band?'

'Nee. Het is van de Beweging.'

'Niks voor ons,' zegt iemand anders tegen de jongen.

Ruth kijkt opzij; daar staat Barrel. Hij hijst zijn dikke billen naast haar op het muurtje.

'Nee, inderdaad,' zegt ze, 'niks voor nerds. Je moet kunnen dansen namelijk.'

Barrel kijkt verbaasd. 'Ik een nerd?'

De tweedeklasser moet erom lachen.

'Zo horen we nog eens wat, Tonnie,' zegt hij.

Tonnie? Ruth kijkt van de een naar de ander. De grote jongen slaat zijn arm om Barrel heen.

'Ik dacht dat mijn broertje altijd zat te internetten. Nou hoor ik dat hij stiekem zit te leren!'

Barrel trekt zich los.

'Ik leer helemaal niet,' zegt hij. 'Hoef ik niet.'

'Hoef je wel, Tonnemans. Als jij blijft zitten, mogen we niet op duikles.'

Ruth laat zich van het muurtje glijden. Ze zoeken hun familiegedoe maar lekker zelf uit; ze heeft al genoeg familiegedoe van zichzelf. Ze loopt door de kantine, op weg naar nergens. Overal ziet ze meisjes bij elkaar staan, in een groepje, of twee aan twee. Had zij ook maar een beste vriendin. Ze heeft Pinky natuurlijk, maar daar heeft ze op school niets aan. Buiten school ook niet, nu ze ruzie hebben.

Want het is de vorige dag niet meer goed gekomen. Pinky probeerde gewoon te doen, maar Ruth kan dat niet zomaar. Zwijgend is ze met Pinky mee naar huis gelopen, en met een smoesje is ze naar huis gegaan. Alleen. Daar heeft ze doelloos haar avatar aan en uit zitten kleden. Zonder Pinky is ze nergens.

Mariska komt naar haar toe. Ruth ziet opeens dat ze loopt als een mannequin: met haar bekken gekanteld. En als de linkerheup naar voren komt, beweegt haar linkerarm mee. Rechterheup, rechterarm. Wat een aanstellerij!

'Op welk level zit jij?' vraagt Mariska als ze naast haar staat. 'Ik ben een Gewaardeerde Beweger nu.'

'Goh,' zegt Ruth, 'wat snel.' Misschien heeft iemand Mariska geholpen.

Opeens wil ze zich tegen Mariska afzetten. Liever helemaal geen vrienden dan Mariska als vriendin.

'Ik ben binnenkort Ster Beweger,' zegt ze. 'Als mijn filmpje op de website staat.'

'Dromen is gratis,' zegt Mariska.

Ze heeft gelijk, denkt Ruth. Je kunt wel zo veel willen. Maar op televisie kun je zien dat leuk dansen niet hetzelfde is als echt talent hebben.

Ruth staat op. 'Sorry, ik moet...' Narrig loopt ze naar de Berlagetoren, waar ze zo meteen tekenen heeft. Uit het muzieklokaal klinkt getokkel en ze kijkt opzij.

'Rif!' Hij heeft zijn elektrische gitaar bij zich.

'Hoi!' Rif kijkt nauwelijks op. Maar Ruth is blij hem te zien en ze stapt het lokaal binnen.

'Wat ga je doen? Mag je voorspelen?' Rif heeft ook Stoop voor muziek.

Rif schudt zijn hoofd en speelt nog een riedeltje, dat hij afsluit met een ferme klap op de snaren. Doordat de gitaar niet is aangesloten, hoort Ruth vooral die klap.

'Stomme Jim,' zegt hij. Je zou je halve vinger kwijt kunnen in de frons tussen zijn ogen.

'Wat dan?' Ruth komt dichterbij.

'En jij hebt hem opgestookt! Met je clipje.' Opeens lacht Rif. 'En nu zit ik in de problemen. Want Jim heeft geregeld dat we het hier mogen opnemen.' Hij wijst op de deur achter in het lokaal. Daarachter is een kleine studio, met bobbelig schuimrubber op de muren. 'Dope Stoop vindt het goed. Eerst de muziek, dan de dans. En jij moet meedoen, zegt Jim.'

Ruth spert haar ogen open.

'Doe niet zo onschuldig, garnaal. Daar was je toch op uit?'

'Maar ik kan niet kungfuën, hoor.'

'Nee, allicht niet.'

'Oké! Dan doen Pinky en ik de moves van de Dansmeester – ik heb er al heel wat – en dan zetten we Jim in het midden met zijn kungfu. En dan...'

'Whatever,' zegt Rif. 'Regel het maar.'

Er komt een groep derdeklassers aan en Ruth gaat aan de kant. In het voorbijgaan krijgt ze een knipoog van Jim.

'A regel?' vraagt hij.

'Huh?' Praat hij nou Surinaams tegen haar?

'Geregeld?'

Ruth knikt trots. De clip gaat er komen!

'Ruth Abel! Kun je me niet missen?' Stoop staat groot en vierkant voor haar. Maar Ruth glimlacht hem toe en glipt onder zijn arm door. Ze vergeeft Stoop alles nu ze de clip in zijn lokaal mogen opnemen. Ze grijnst – Dope Stoop! – en galoppeert naar haar eigen klas.

Tijdens de tekenles – ze moeten een portret schetsen – lukt het haar bijna niet om stil te blijven zitten. De Dansmeester krijgt haar te zien, en zij hem!

26

'Hoezo mag ik niet meedoen?' Er staan tranen in Pinky's mooie bruine ogen. Ze draait haar hoofd af – ze schaamt zich zeker – maar Ruth hoort in haar stem hoe erg ze het vindt.

'Sorry, het is echt rot. Maar Rif heeft gezegd dat het voor de schoolavond is. Dan kunnen we er niet iemand bijhalen van een andere school.'

'Waarom heb jij dan niks gezegd? We konden toch ergens anders oefenen?'

Ruth laat haar schouders zakken. Nee, ze heeft niks gezegd. Nu heeft ze spijt, maar Rif is drie jaar ouder. En eigenwijs. Ze zoekt naar argumenten.

'Er is een mengpaneel en een versterker en alles. Rif wil dáár.'

'Boeien! Nou ga jij naar de Dansmeester zonder mij!'

'Het staat toch nog helemaal niet vast...' Maar dat klinkt net of ze hoopt dat hun clipje géén succes wordt. Ruth zit ermee in haar maag.

'En jij mag niet eens dansen!'

'Nou... mijn moeder heeft me zelf deze letters gegeven.' Ruth wijst op haar shirt.

Pinky staart ernaar. Ruth kan bijna horen wat ze denkt: daar heb je me niks over verteld.

'Later, oké?' Ruth begint weg te lopen. 'Ik heb met Rif en Jim afgesproken.'

Pinky grijpt haar arm. 'En we waren vriendinnen!'

'Sorry...' zegt Ruth nog eens. Daar heeft Pinky niets aan, dat snapt ze ook wel. Maar ze trekt zich los. Ze moeten echt repeteren. Het is haar enige kans.

Die middag en de dagen die volgen werken Rif en de andere leden van Fireball zich uit de naad om het nieuwe nummer goed te krijgen.

Ruth oefent met Jim in het dramalokaal. Jim leert haar allerlei kungfubewegingen, en dat vindt Ruth leuk. Maar andersom luistert Jim niet naar háár. Hij weigert de moves te leren die Ruth voordoet.

'Weet je het soms beter dan de Dansmeester?' valt Ruth ten slotte uit. 'Je lijkt trouwens wel een robot!' Want Jims bewegingen missen gratie. En zodra hij de vechtmoves doet, vergeet hij de beat.

'Je trekt je niks aan van het ritme!' zegt Ruth wanhopig. 'Hoe kan dat nou? Je bent drummer!'

'Kungfu gaat over stilte,' zegt Jim koppig. 'Kungfu is concentratie. Als ik bezig ben, hoor ik niets.'

'Je hoort de beat toch in je hoofd?' Ruth trekt haar doorzwete hemd uit en gooit het op de vloer. Ze slaat een handdoek om. 'Dit wordt niks. En trouwens, we moeten er nog iemand bij hebben. Twee dansers is niks.'

Ze kijkt naar haar onderarm. Vlak bij haar pols trilt een spier. Je kunt het zien onder haar vel. Ze drukt de spier met haar duim tegen het bot en het trillen houdt op. Niks aan de hand, denkt Ruth. Gewoon te hard geoefend. Ze hoeft het niet thuis te vertellen.

'Wat is er?' Jim komt dichterbij. 'Je ziet lijkbleek. Hier.' Hij geeft haar een pepermuntje. 'Te lage bloedsuikerspiegel zeker. Het is ook wel genoeg geweest voor vandaag.'

'Nee!' roept Ruth. 'Ik ben helemaal niet moe!'

Maar Jim loopt het lokaal uit en Ruth blijft alleen achter. De muziekinstallatie zoemt zachtjes. Stil is het in school...

Dan hoort ze schuifelende stappen dichterbij komen. Hé, dat is de slome tred van Rif. Die vindt het stoer om zijn voeten niet op te tillen. Ze graait haar hemd van de vloer.

Haar neef kijkt naar binnen.

'Wil je achterop?' vraagt hij. Ruth kijkt even verdwaasd, dan stompt ze hem tegen zijn arm.

'Heb je nou nóg je band niet geplakt?'

Buiten waait het. De boomkruinen staan te schudden. Alsof ze hun armen rekken, denkt Ruth, alsof ze weg willen dansen.

Achter op haar eigen fiets droomt ze weg. Het gaat goed met hun dans. Nog een paar dagen oefenen en dan kunnen ze het clipje opsturen naar de Dansmeester... Die heeft het natuurlijk razend druk. Hij moet aan zijn moves werken, kostuums passen, choreo's bedenken, fanmail beantwoorden... Zou hij tijd hebben om hun demo te bekijken?

De spier in haar arm begint weer te trillen. Ruth schuift haar hand in haar mouw en drukt de tril weg. Het heeft niets te betekenen. En trouwens, ze is pas twaalf. Haar moeder was al over de dertig toen ze de ziekte kreeg.

Begint het met trillen? Haar moeder vertelt wel eens dat ze opeens geen pen meer kon vasthouden. Ruth steekt haar hand in haar zak. Ze klemt haar vingers om haar huisdeursleutel. Gaat prima. Zie je wel.

'Hé garnaal, alles goed daar?' Rif kijkt om, de fiets maakt een zwieper.

'Fiets jij nou maar.'

'Je bent zo stil. Ben ik niet gewend.'

'Ik eh...' Ruths wangen worden warm. Ze praat nooit met Rif over de ziekte. Hij weet ervan, maar als ze samen zijn doen ze alsof die niet bestaat.

'Weten Mark en Roelie eigenlijk van dat filmpje?' vraagt Rif.

Daar praat Ruth overheen. 'Ik zat te denken: ik heb nog een meisje nodig voor de dans. Misschien kan ik een Beweger vragen.'

'O.' Rif zwijgt even en vraagt dan: 'Dat meisje in jouw klas, is dat niks? Die met dat witte haar.'

'Mariska,' zegt Ruth onwillig. 'En het is gebleekt.'

'Kun je haar niet nemen?'

Ruth antwoordt niet. Ze heeft er geen zin in. Mariska wil altijd de baas spelen.

'Ik vraag het wel,' zegt Rif. 'Wat is haar nickname?'

Als hij haar fiets teruggeeft, heeft hij haar helemaal uitgevraagd. Het gaat hem helemaal niet om het clipje. Het gaat hem om dat neppe haar – en wat daaronder zit.

Als Ruth thuiskomt, is het trillen in haar arm weg.

Mariska wil graag meedoen en ze blijkt wel aardig te kunnen dansen. Alleen kunnen ze het maar niet eens worden over de choreografie. Mariska wil op de voorgrond, Jim wil op de voorgrond, en eigenlijk wil Ruth ook op de voorgrond.

'Om de beurt dan,' zegt Ruth voor de zoveelste keer. 'Als een draaiende cirkel. Zoals in de game. De ene move wint van de andere; het is een soort gevecht. Iets tussen kungfu en hiphop in.'

'Hiphop?' vraagt Mariska.

'Ja?' zegt Ruth. Heeft Mariska helemaal niet door wat ze aan het doen zijn?

'Maar je doet helemaal geen tricks!'

'Ik doe wat ik kan,' zegt Ruth. 'Het zijn moves van de Dansmeester, hoor.'

'Maar wat jij doet is zo vreselijk *old school*.'

'Je weet er niks van,' zegt Ruth geërgerd. Het steekt haar toch.

'Geen fiti bouwen, meiden,' zegt Jim. 'Aan het werk, kom op. Rif komt zo met de camera, en hij mag hem maar een uurtje.'

Het is de peperdure camera van Menno. Rif mag hem alleen lenen omdat zijn vader denkt dat het voor school is.

Ruth legt nog één keer de volgorde uit. Ze doet alle bewegingen nog eens voor; na dagen oefenen kent ze ook die van de andere twee. Ze trekt een schoon paars hemdje over haar hoofd. Het heeft net een andere kleur dan haar T-shirt. Op de rug staat BWGNG in opstrijkletters. Ze is klaar om te beginnen, maar dan zegt Mariska: 'We doen het laatste stuk twee keer. Vanaf die sprong van Jim.'

Ruth schudt haar hoofd. 'Het is nu te laat om nog van alles te veranderen.'

'Gewoon herhalen,' zegt Mariska. 'Dat kun je toch wel?'

Ruth negeert haar.

'Op je plaatsen nu,' zegt ze, en ze zet de muziek aan. 'We doen het nog eens. Vijf, zes, zeven...'

'Hoezo maak jij alles uit?' onderbreekt Mariska haar. 'Rif heeft míj gevraagd, hoor.'

Opeens begrijpt Ruth het. Mariska denkt dat zíj de leiding heeft; daarom doet ze zo moeilijk. Het is de schuld van haar neef, die heeft met Mariska zitten slijmen.

'Het is mijn idee!' roept ze uit. 'Mijn moves!'

'O ja? Je hebt ze gewoon van de Dansmeester, zeg je net.'

Ruth ademt uit. Het is niet het moment voor ruzie. Mariska weet misschien niet hoeveel moeite het heeft gekost die moves bij elkaar te sparen. 'Laat maar. We oefenen gewoon nog een keer, oké?'

'Oké!' zegt Rif, die net binnenkomt. 'Nog één keer. Generale. Stoor je niet aan mij.'

Mariska lacht naar hem. Eindelijk gaat ze klaarstaan. Ze trekt haar topje strak. Het is zo te zien nieuw, gloeiend paars, en voorop staat het trotse logo van de BWGNG. Geen op-strijkletters; Mariska's shirt komt kant-en-klaar uit de online winkel.

Ze beginnen. Gelukkig heeft Jim intussen door dat hij moet dansen, niet vechten. Het zijn dezelfde bewegingen, maar hij voert ze nu ritmischer uit. Het wisselen gaat ook vlot. Als ze klaar zijn, klapt Rif hard in zijn handen.

'Perfect! Goed gewerkt, Jimboy. En jij ook, garnaal.' Daarna loopt hij naar Mariska toe, die op de grond zit, en kust haar op haar gebleekte kruin. 'Top gedaan, meid. Ik wist dat je het in je had.'

Ruth zucht. Mariska krijgt alle eer, terwijl zij alles bedacht heeft.

Ze klimmen het podium op. Rif pakt de fototas uit.

'En nu voor het echie,' zegt hij. 'Wacht even tot ik de camera op het statief heb, dan beginnen we. Jullie weten dat het drie keer moet, hè? Ik film drie keer uit een ander standpunt.'

Rif prutst aan de camera, Jim prutst aan het licht, Mariska prutst aan haar haar. Ruth wacht alleen maar, ze wacht en concentreert zich.

Dit is het begin van haar leven. Haar echte leven, niet het leven dat haar moeder voor haar in gedachten heeft. Ze kijkt naar haar arm. Er trilt niets.

'Toppie,' zegt Rif na een klein uur. 'Goed gedaan, meiden.' Maar hij kijkt naar Mariska. Met zijn arm om haar heen loopt hij het lokaal uit.

'Oké dan,' zegt Jim. 'Die zijn we dus weer een paar weken kwijt.'

Ruth lacht naar hem. Jim knipoogt en zwaait.

In haar eentje loopt Ruth even later door de gangen. Zou Rif nu Mariska achterop nemen?

Dan blijft ze staan. Uit het gymlokaal klinkt gejuich en applaus. Ze ziet een stel tweede- en derdeklassers de hoek om gaan; ze lopen gehaast, met hun neuzen vooruit. Nu beginnen ze te rennen. Ze zijn ergens héél nieuwsgierig naar. Ruth gaat erachteraan. Ze hoort nu ook muziek. In de gymzaal is iets gaande.

'Een battle!' roept iemand. Ruth rent de hoek om.

Inderdaad. In het midden van een kring leerlingen staan twee dansers tegenover elkaar. Ruth kent ze niet, ze zitten in de tweede. Om de beurt laten ze hun moves zien. Ze proberen elkaar te overtroeven. Een van de jongens kan een paar echte tricks – of zo lijkt het. Hij maakt een salto achterover – best dapper, zo zonder mat – draait op zijn schouder. Maar dat beheerst hij niet zo goed; hij zakt als een pudding in elkaar. De andere jongen stapt naar voren. Hij begint met de moonwalk. Oude koek, maar het gaat erom hoe je hem uitvoert en deze jongen is echt goed. Hij krijgt veel bijval. Dan is de ander weer aan de beurt. Ruth moet op haar tenen staan om het goed te zien, want hij draait laag bij de grond op één hand rond.

'Echt knap!' zegt een meisje naast haar.

Ruth knikt.

'Ben jij ook een Beweger?' Haar blik valt op Ruths topje. 'O ja, ik zie het al. Waar sta je?'

'Bijna Senior,' zegt Ruth.

'Goed hé! Ik begin pas. Wil je mijn kaart hebben?'

Ruth pakt de Danstourkaart aan en geeft de hare in ruil. Dat zal hun allebei voordeel brengen, want hoe meer bezoekers je in je studio krijgt, hoe hoger je stijgt. Volgens het kaartje heet het meisje Emma007 – nou ja, Emma dus.

'Wil je de mijne ook?' vraagt Mariska. Ze staat achter hen, naast Rif. Ze haalt een heel bundeltje uitgeprinte kaarten te-voorschijn. Opeens begrijpt Ruth hoe zij zo snel heeft kunnen opklimmen. Niet door de moves te doen, maar door gasten uit te nodigen in haar studio. Mariska is populair en dat gebruikt ze. Zo schiet ze zonder zich in het zweet te werken omhoog in de BWGNG.

De jongen van de moonwalk geeft het op en meteen meldt zich een ander aan voor de strijd. Een klein jochie met een brutaal gezicht; hij zit in een andere brugklas.

'Mijn broertje!' zegt Emma. 'Go, Bo!'

Bo begint te dansen. Hij heeft een heel andere stijl. Zijn voeten stappen niet, ze glijden, en het lijkt wel alsof hij geen botten heeft. Alsof hij vloeibaar is en alleen overeind gehou-den wordt door zijn eigen draaien.

'Wat is dit!' roept Ruth onwillekeurig uit.

'Hij noemt het *liquid*,' zegt Emma trots.

'Wauw,' zucht Ruth. Dát is pas dansen! En die Bo is even oud als zij!

'Hij staat zeker al heel hoog in de Beweging?' vraagt ze.

Emma schudt haar hoofd.

'Als Beweger is hij pas begonnen. Tegelijk met mij.' Ze kijkt Ruth lachend aan.

En opeens voelt Ruth wat de BWGNG betekent: dat je vrienden bent met mensen die je niet eens kent. Net nog leek het of ze alleen op de wereld was, en nu staat ze zomaar met die Emma te kletsen.

Een baan schel licht valt door het bovenraam: de zon is doorgebroken.

Emma kijkt omhoog en zegt: '"Gun jezelf elke dag een uur onder de zon." Dat mailde de Dansmeester me. Hij is geweldig, hè?'

'Ja,' zegt Ruth. Maar ze kijkt niet omhoog. Haar ogen volgen Bo, tot die zich uitgeput in de armen van de omstanders laat vallen. Er wordt gelachen, en Ruth roept: 'Joehoe!' Niet alleen uit bewondering, maar ook om gewoon lekker te roepen.

De battle is voorbij; niemand wil het tegen Bo opnemen. Gloeiend van trots komt hij naar Emma toe.

'Zag je me?'

De gymzaal loopt langzaam leeg. Ruth raakt Emma kwijt in het gedrang. Rif ziet ze wel; hij loopt hand in hand met Mariska. Ze pakt haar fiets en kijkt niet op van het slot, maar ze hoort hoe Mariska giechelig bij Rif achterop gaat zitten. Slingerend fietst Rif, tegen de regels, het schoolplein over. Een plastic zakje wervelt omhoog in de wind, alsof het ook zin heeft om te dansen. Ruth huppelt een paar passen. De BWGNG is naar het Erasmus gekomen!

Een jongen haalt haar in; hij rijdt tegen iemand aan en valt bijna om. Het is Barrel, en hij ziet er heel geërgerd uit.

'Heb je haast?' vraagt Ruth. Eigenlijk is het zielig dat hij nooit aan zoiets geweldigs mee kan doen als de BWGNG. Hij blijft langzaam naast haar rijden; hij kan er niet door omdat iedereen tegelijk naar het hek loopt.

'Kijk ze nou,' zegt Barrel. 'Kuddedieren.'

'Er was een dansbattle,' zegt Ruth. 'Had je moeten zien!'

'Ik moet niks.' Barrel trekt zijn voorwiel op, laat het stuiterend weer neerkomen en gaat er ineens vandoor. Met een grote boog om de BWGR's heen, heel hard naar het hek om ze voor te zijn. Hij raakt iemand in het voorbijgaan, die roept: 'Kun je niet uitkijken, vetzak!'

Ja, eigenlijk zielig.

Mark helpt het clipje monteren. Ruth en Rif staan hem op de vingers te kijken terwijl hij ermee bezig is. Ruth is trots op haar vader; hij sleept met stukjes video en audio en weet ze precies op de goede plek te krijgen. Binnen een uur is het klaar.

'Menno zegt dat jullie het op school gaan vertonen,' zegt Mark.

'Doen we ook,' zegt Ruth. Ze zegt het net iets te nadrukkelijk; haar vader kijkt haar aan.

'Hoezo?' vraagt hij. 'Wat gaan jullie er dan nog meer mee doen?' Hij kent haar te goed.

Ruth kijkt naar Rif. Rif kijkt net zo hard terug. Hij laat het aan haar over. Lafbek.

'Nou... niks,' zegt Ruth. Liegen kan ze niet zo goed.

'Je weet dat het niet deugt, hè,' zegt Mark. 'Dat wéét je. Je moeder wil niet dat je danst. En wat doe jij?'

'Het is maar een heel kort dansje,' zegt Ruth zachtjes. Dat ze er dagen voor hebben moeten oefenen, hoeft ze er niet bij te zeggen. En die trillende spier is ze zélf alweer bijna vergeten.

'Je bent er iets mee van plan,' zegt Mark. 'Zeg op.'

'Nou, niks eigenlijk. We sturen het alleen op naar de Dansmeester. Als demo, snap je. Je weet nooit. Misschien wordt Fireball wel ontdekt.'

Marks gezicht ontspant zich iets.

'Dus het gaat om Fireball.' Hij kijkt naar Rif. 'Hebben jullie wel goed naar de kleine lettertjes gekeken? Straks pikken ze het in, die eh... dinges. Hoe heet die club?'

Rif weigert nog steeds haar te helpen, dus zegt Ruth onwillig: 'De Beweging.'

'De Beweging... Klinkt eng,' zegt Mark. 'Als een soort sekte.'

'Helemaal niet!' zegt Ruth. 'Het gaat over dansen. Bewegen,

snap je? Bewegen, Bewegers, de Beweging.' Ze geeft Rif een schopje. Naar hem luistert Mark vast wel.

'Gewoon een website,' zegt Rif. 'Met een dansgame. Ze willen dat kinderen meer bewegen.'

'Mm,' zegt Mark. Zijn frons wordt iets minder diep. 'Is het dan soms iets van de overheid? Een campagne of zo?'

'Misschien,' zegt Rif, maar hij klinkt onzeker. 'Kan best. Ja, ik denk het wel.'

'En die Dansmeester? Wat is dat voor figuur?' Mark kijkt van Rif naar Ruth en terug.

'Hij is geweldig,' zegt Ruth gauw. 'Hij... Je moet zien hoe hij danst!'

'Verder niets?'

'Verder niets. Nou ja, je kunt een workshop met hem verdienen. Maar dan moet je echt heel, heel, héél goed zijn.' Ze laat het klinken alsof haar dat nooit zal lukken. En misschien is dat ook wel zo.

'Hoor eens, ik weet niet of ik het hiermee eens ben.' Mark prikt in Ruths borst. 'Jij mag je niet oververmoeien. En jij' – hij wijst naar Rif – 'doet het nou niet zo geweldig op school. En dan nog iets. Die Dansmeester doet dat niet voor niets. Die wordt betaald. En ik wil weten door wie.'

'Door niemand,' zegt Ruth. 'Het is gewoon een website.'

Rif loopt de kamer door en gaat op de vensterbank hangen.

'Hoef je nergens voor te betalen?' vraagt Mark.

'Nee,' zegt Ruth. 'Alleen in ping. Dat is het geld van de Beweging. Maar dat verdien je zelf.'

'Geen gegoochel met creditcards? Rif?'

Rif geeft geen sjoege. Ruth wou dat ze net zo dapper was als hij. Misschien lukt het haar als ze ook vijftien is: gewoon doen of ze niet snapt wat volwassenen van haar willen.

Mark draait zich om en pakt de telefoon. Ruth ziet dat hij de 1 intoetst. Daaronder zit het nummer van Menno, zijn tweelingbroer.

'Weet jij iets van die website? Dat clipje.'

De gesprekken van Mark en Menno kan niemand anders volgen. Ze zeggen maar de helft van wat ze bedoelen, met rare codewoorden.

'Onschuldig volgens mij. Ik ben wezen kijken.' Menno's stem klinkt door de kamer; Mark heeft de telefoon op de luidspreker gezet.

'Reclame?'

'Niet dat ik kon zien, maar het zijn veel pagina's.'

Mark draait zich weer om en typt 'beweging' in. Ruth grinnikt even; dat zal hem niet verder brengen. Je moet een ingewijde zijn, anders weet je niet dat het geschreven wordt als 'bwgng'.

'Verdacht toch. Niks voor niks.' Mark zoekt onder het praten verder.

'Je bedoelt: zoek de doekoe?' vraagt Menno.

'Precies. Waar komen de moneten vandaan? Van de overheid, meent je zoon.'

Rifs vader, aan de andere kant van de lijn, lacht. 'Je bedoelt: dat probeert hij je wijs te maken. Slim gastje. Genen, hè. Weet je nog...?'

Mark moet ook lachen. 'Inderdaad.'

Ruth schudt haar hoofd en trekt een grimas naar Rif. Geen touw aan vast te knopen. Maar gelukkig dwalen Mark en Menno verder af.

Rif glijdt van de vensterbank en wenkt Ruth. Even later zijn ze de achterdeur uit. Ze gaan achterom; een paar huizen verder glippen ze bij Rif naar binnen. Menno zit op tafel, zijn voeten op de bank. Nog steeds aan de telefoon; hij schatert en slaat met zijn ene arm in de lucht. Ruth en Rif sluipen naar de trap. Op Rifs kamer doen ze de deur zachtjes dicht.

'Wat zitten ze nou te zeuren over geld?' vraagt Ruth.

'Dat komt doordat ze oud zijn,' zegt Rif. 'Oude mensen denken altijd aan geld.'

'Mijn vader niet,' zegt Ruth.

'Jouw vader juist! Verslaafd aan werken, zegt mijn moeder, verslaafd aan geld verdienen. Meer, meer, meer. En de mijne zeurt ook over niks anders, maar die heeft altijd te weinig.'

Rif zet zijn koptelefoon op en pakt zijn gitaar. Hij plukt aan de snaren en mompelt voor zich heen. Dat wordt weer een nieuw nummer, weet Ruth. Ze kijkt rond. Rifs computer ligt op het bed. Ze neemt hem op schoot. De website van de BWG-NG staat open; ze neemt een kijkje op het forum.

'Bewegers! Weet je waar je mee bezig bent? Wat gebeurt er met de moves die je uploadt? Wie zit er achter de Dansmeester???'

Ruth wil het al geërgerd wegklikken, als ze opeens ziet wie de afzender is: Barrel! Waar is die jongen mee bezig? En wat heeft hij te zoeken bij de BWGNG? Waar bemoeit die nerd zich mee!

Dan ziet ze dat er een persoonlijk bericht is voor Rif. Een boodschap van de Dansmeester zelf! Met kloppend hart opent Ruth het berichtje.

'Hallo. Fijn dat je er weer bent. Ik vind het fantastisch dat je net zo van bewegen houdt als ik. Vergeet niet: gun jezelf elke dag een uur onder de zon.'

Hetzelfde bericht dat Emma heeft gekregen. Niets over hun clipje.

Rif buigt voorover en kijkt wat ze doet.

'Nieuws?'

Ruth schudt haar hoofd en draait de laptop om.

Rif gromt teleurgesteld. 'Een uur onder de zon – tss! Het regent. Makkelijk gezegd; de Dansmeester gaat zelf natuurlijk overal heen met een limo. Die barst van de poen.'

'Welnee, joh,' zegt Ruth. 'Begin jij nou ook al?'

Rif geeft geen antwoord. Hij rapt zachtjes:

'Je voelt je echt heel wat
met je doekoe in je zak
in je dikke BMW
en je Italiaanse pak
doekoe moni floes
heel gedwee net als vee
doe je wat je opa dee
nee, ik doe mooi niet mee...'

'Ik ken niemand met een BMW,' zegt Ruth. Ze denkt: iedereen zeurt over geld vandaag. Ze heeft ineens een rothumeur. Wat duurt dat wachten lang!
'Ik wil vrij zijn,' zingt Rif.

'Ik wil vrij zijn
ik wil niet net als jij zijn
ik wil gewoon mij zijn
weet je, gewoon mij zijn...'

Ik ook, denkt Ruth. Vrij om te dansen... dat is wie ze is. Trillende spieren of niet.
Haar telefoon gaat. Roelie. Ruth stopt de telefoon weg zonder op te nemen. Nu even niet, mam, denkt ze. En dan denkt ze er gauw 'sorry' achteraan.
'En?' vraagt Rif.
'Wat bedoel je?'
'Mijn nieuwe liedje.'
'Niks voor de Dansmeester,' zegt Ruth.
'Ach jij.'
Ruth klikt wat in het rond, tot ze op het profiel van Mariska stuit.
'Hé! Moet je kijken! Ze is al Hoofd Beweger! Hoe heeft ze dat nou zo snel gedaan?!'
Rif tokkelt zachtjes door.

'Niet normaal hoor! Volgens mij speelt ze vals! Moet je kijken, ze heeft nog haast geen trofeeën.'

Eindelijk legt Rif zijn gitaar meer.

'Kappen jij! Wat heb je tegen Maris? Ze heeft ons supergoed geholpen met dat filmpje.'

Het stinkt, denkt Ruth, maar ze zegt niets meer. Rif heeft het serieus van Mariska te pakken. Die is gewoon blind.

Als ze naar huis loopt, gewoon over straat, merkt ze dat Rifs nieuwe liedje in haar hoofd is blijven hangen. *Doekoe moni floes...* Toch best een sterk nummer. Als hun eerste clip een succes wordt, kunnen ze dit misschien...

'Deur dicht,' zegt haar moeder. 'Loop je weer te dromen?'

Ruth gaat de tafel dekken. Ze danst er stiekem bij, op het nieuwste riedeltje van Rif.

'Ik snap jou wel.' Haar moeder is de kamer in gekomen. 'Je hebt talent, echt talent, en dat moet eruit.'

'Wat weet jij daarvan?' snauwt Ruth. Ze voelt een preek aankomen.

Roelie knijpt even haar ogen dicht. 'Au.'

'Sorry.'

'Mark zegt dat jullie een filmpje hebben gemaakt. Achter mijn rug om. Dat doet ook pijn. Hoor je me?'

Ruth haalt haar schouders op. Ze hoort Roelie al haar hele leven.

'Maar filmpje of geen filmpje, je kunt niet doorgaan met dansen. Later zul je het wel begrijpen. Sorry, maar het kán nu eenmaal niet.' Ze steunt met beide handen op de buffetkast.

'Je hebt me toch zelf die letters gegeven!'

'Ik wil niet dat je erbuiten valt op school. Je hebt nog helemaal geen vriendinnen.'

'Wel,' zegt Ruth. 'Emma.'

Roelie laat de kast los. Ze kijkt blij. 'O, dat is goed nieuws. Emma hoe?'

Ruth kleurt. 'De onderzetters zitten nog in de droger.' Ze vlucht naar de bijkeuken.

'Je belooft het, hoor!' roept Roelie haar na. 'Geen gedans meer.'

Achter de droger stuurt Ruth haar enige echte vriendin een berichtje. 'Bel me!'

Maar Pinky reageert niet.

'Denk maar niet dat je stoer bent!' Iemand loopt tegen Ruth aan – niet per ongeluk. Ruth bekijkt hem verbaasd. Een klein ventje met drie kruinen in zijn stekeltjes. Hij kijkt haar boos aan.

'Ik doe jou toch niks?'

'Een paars shirt aantrekken kan iedereen, hè,' zegt het jochie, voor hij doorloopt. Stijf en houterig, alsof hij eigenlijk een rollator nodig heeft. Ruth begrijpt het meteen: dat joch kan niet meedoen met de BWGNG, daarom kat hij zo.

'Niet op letten,' zegt Mariska naast haar. Sinds ze min of meer met Rif heeft, zoekt ze Ruth steeds op. 'Hij is gewoon jaloers.'

Ruth kijkt het jongetje fronsend na. 'Of gewoon zielig.'

'Inderdaad.' Mariska begrijpt haar verkeerd; Ruth bedoelde het letterlijk. Wat zou er met dat jochie zijn?

Ze hebben Nederlands, saai. Misschien kan ze even slapen; ze heeft lang wakker gelegen, opgewonden doordat ze steeds maar aan de Dansmeester lag te denken.

'Derek,' zegt Van Hoessel, 'jouw spreekbeurt, hè? Ben je er klaar voor?'

Ruth legt haar hoofd op haar armen. Derek is de saaiste jongen van de klas. Zo saai als grijze sokken. Zo saai als Brinta. Zo saai als novemberregen. Dat wordt vast een spreekbeurt over treinen of elektriciteitscentrales... Ze dut in.

En ze schrikt wakker. Heeft ze gedroomd? 'Daarom is de Beweging zo leuk,' galmt het na in haar hoofd. 'Iedereen kan meedoen...'

Ze gaat rechtop zitten en staart naar Derek. Kan het? Houdt

42

Derek echt een spreekbeurt over de BWGNG?

Het digibord glanst paars op; de site van de BWGNG staat open. Derek klikt op de Battle. De dansmuziek komt blikkerig uit de luidsprekers. Er golft een lach door de klas: Derek begint voor de camera in de laptop op en neer te springen. Op het bord danst hij levensgroot mee. Hij grijnst, nee hij lacht, nee hij straalt! Die doodsaaie loser staat blij als een meisje voor de klas te dansen – en hij schaamt zich niet eens! Ruth hangt over haar tafel heen, haar billen komen van de stoel. Droomt ze nog? Nee, ze ruikt de shampoo van Ella voor haar en in dromen ruik je niks. Derek danst! Ze lacht hardop. Zie je wel dat de BWGNG geweldig is!

Echt dansen kun je het trouwens niet noemen, wat Derek doet: hij maakt zijn bewegingen lui, zo klein mogelijk. Maar hij heeft speciale wedstrijdmoves verzameld: de extra sterke Verdediging en Superkracht. Ruth ziet dat hij op zijn slome manier al zevenduizend ping heeft verzameld. Wie had dat nou achter hem gezocht!

Derek laat zien wie er in zijn studio op bezoek zijn geweest: Martin, Noor, Wesley... Mariska staat er ook tussen, ziet Ruth. Dan klikt Derek door naar de winkel. Tot Ruths verbazing heeft Derek alle kleding aangeschaft. En dan nog zoveel ping over! Hoe komt die jongen zo goed?

'Kijk,' zegt Derek. De cursor vliegt over het bord. 'Je kunt natuurlijk dagen en dagen oefenen. Maar je kunt ook slim zijn.' Hij laat de cursor zweven boven een groen vakje, waarop staat: € = P. Ruth heeft dat vakje nog nooit opgemerkt. Wat betekent het?

Barrel steekt zijn vinger op, ook al is het nog geen tijd om vragen te stellen. Derek negeert hem, en Van Hoessel ook.

Maar Barrel laat zich niet tegenhouden. 'Dus nou tel jij ook mee,' zegt hij. 'En? Hoe bevalt het?'

Derek bloost, maar geeft geen antwoord.

Barrel wijst naar het bord. 'Klik eens op dat groene vakje.'

Derek schudt zijn hoofd, hij gaat naar een andere pagina. Barrel wil er wat van zeggen, maar Van Hoessel kijkt hem streng aan en hij bedenkt zich.

'Op het forum krijg ik zo af en toe een berichtje van de Dansmeester zélf,' zegt hij trots. 'Omdat ik natuurlijk ook al Hoofd Beweger ben, hè.'

'Pff!' Mariska proest als een knorrig paard. 'Ben ik anders ook, hoor! Geen kunst aan.'

'Je moet wel veel oefenen,' zegt Derek. Het klinkt onzeker.

Er klopt iets niet, denkt Ruth. Mariska is veel te snel opgeklommen. Zij moet Danstourkaarten hebben uitgewisseld; ze kent ook veel tweedeklassers. Maar Derek?

'Ja, óf punten kopen natuurlijk,' zegt Barrel.

'Ping,' zegt Noor. 'Het heet ping. Je moet het verdienen. Maar wat weet jij daarvan, zitzak?'

De hele klas moet lachen.

'Jongens!' zegt Van Hoessel. 'Derek had het woord.'

'Ik ben klaar.' Derek wil naar zijn plaats lopen.

'Niet zo haastig, vriend. Misschien wil de klas nog iets weten?'

Niemand heeft vragen. De meesten weten al net zo veel van de bwgng als Derek zelf.

'Ik wel,' zegt Van Hoessel. 'Is het wel vertrouwd?'

'Natuurlijk,' zegt Derek.

'Kan iedereen zomaar lid worden?'

Anne steekt haar vinger op. Van Hoessel negeert haar.

'Natuurlijk,' herhaalt Derek.

Anne zit nog steeds met haar vinger omhoog.

'En wat gebeurt er als je op dat groene vlakje klikt?' vraagt Van Hoessel.

'Eh... weet ik niet,' zegt Derek. Zijn wangen lopen rood aan.

'Jáája!' smaalt Barrel. 'Dat zal meneer de Hoofd Beweger niet weten!'

'Die zitzak is gewoon jaloers,' fluistert Wesley, zo hard dat de hele klas het verstaat.

Van Hoessel kijkt eerst Wesley, en daarna Barrel scherp aan.

Anne laat eindelijk haar vinger zakken.

'Jij blijft straks maar eens even,' zegt Van Hoessel tegen Barrel.

Ruth heeft geen medelijden met hem. Hij zit op de website tegen de Dansmeester te stoken! Ze mag Wesley niet zo, maar dit keer heeft hij groot gelijk. Barrel is een echte zitzak. Eigenlijk net als Anne. Kijk haar: ze zit erbij alsof ze het liefst onder tafel zou glijden.

De klas mag Derek cijfers geven. Anne houdt het op een zeven, maar er worden ook tienen uitgedeeld en van Van Hoessel krijgt hij een negen. Ruth denkt: dat hoge cijfer is eigenlijk niet voor Derek, maar voor de BWGNG. Jammer dat ze hier nu zelf geen spreekbeurt meer over kan houden. Maar als ze een workshop met de Dansmeester verdient... als ze hem dan persoonlijk ontmoet...! Dán heeft ze wat om over te vertellen!

Onder tafel zoekt ze op haar telefoon de BWGNG op. Ze klikt op de winkel. Ja, daar staat het groene vakje, bovenaan nog wel. Dat ze dat nooit gezien heeft!

'Dankjewel,' zegt Van Hoessel, en ze grist de telefoon uit Ruths hand. 'Volgende week kun je hem ophalen.'

Ruth kreunt. Hoe heeft ze zo stom kunnen zijn!

Na school fietst ze met Emma mee; zij blijkt bij haar in de buurt te wonen.

'Zal ik met jou meegaan?' vraagt Emma. 'Dan kunnen we nog even de Battle doen.'

Ruth denkt aan haar moeder. Ze zou graag bewijzen dat ze echt een nieuwe vriendin heeft. Maar ze schudt haar hoofd.

'Mag niet van mijn moeder.'

'Mag niet? Wat raar. Mijn moeder is juist blij als ik dans.'

Ruth bijt op haar lip. 'Mijne op zich ook wel maar... Het kan niet. Mijn moeder is ziek,' zegt ze. 'Andere keer, oké?'

Ze ziet dat Emma doorheeft dat het een smoes is. En toch is ook het waar.

'Nou het hoeft niet, hoor,' zegt Emma. 'Ik heb vriendinnen genoeg in mijn eigen klas.'

Nu heeft Ruth het verpest!

'Zo bedoel ik het niet,' zegt ze. Het klinkt niet erg geloofwaardig.

Emma ziet er niet boos uit. Maar ze doet ook geen moeite een nieuwe afspraak te maken. Spijtig ziet Ruth haar om de hoek verdwijnen.

Roelie stapt net in de auto als Ruth het pad op fietst.

'Ik moet nog even de stad in. Ga je soms mee?'

Ruth aarzelt.

'Dan krijg je die sneakers van me.'

Heeft Roelie spijt dat ze zo streng heeft gedaan? Maar Ruth wil graag weten of er bericht is van Pinky.

'Koop jij ze maar, je weet mijn maat.'

Roelie kijkt teleurgesteld. Maar ze zegt alleen: 'Die paarse, toch?'

'Met blauwe veters.' Ruth knikt. Ze kijkt Roelie na als ze wegrijdt.

Het duurt lang voor haar computer warm is. Eindelijk kan ze zich aanmelden bij de bwgng. Maar er is geen boodschap van Pinky. Ze klikt haar profiel aan; Pinky is weer een stapje hoger geklommen. Ruth stuurt haar een direct berichtje: 'Mijn tel is ingepikt, bel me thuis.'

Daarna klikt ze door naar de winkel. Van haar ping koopt ze paarse sneakers voor haar avatar.

Dan valt haar oog op het groene vakje. € = P. Dat kan maar één ding betekenen: je kunt ping kópen. Met echt geld.

Dat is dus het geheim van Derek. En misschien ook wel het geheim van Mariska's snelle succes. Wat een zitzakken, denkt Ruth. Wat een super-, superonsportieve zitzakken!

BERICHT VAN DE DANSMEESTER

Ruth zou wel elke tien minuten haar berichten willen checken. Is er al antwoord van de Dansmeester? Maar omdat ze haar mobieltje kwijt is, kan ze alleen op haar eigen computer kijken, en in de mediatheek. Iedere pauze gaat ze erheen, elke dag weer. Waarom duurt het zo lang? Dat clipje heb je toch in drie minuten bekeken? Beslist de Dansmeester er misschien niet alleen over?

Ze kan haar zenuwen alleen de baas als ze de Battle doet. Van dansen en springen raakt ze ook wel buiten adem, maar dat is gewoon moeheid. Ze duwt de glazen deur van de mediatheek open en zwaait even naar Von, de mediathecaresse. Gelukkig, er is een computer vrij. Met haastige vingers tikt ze het webadres in.

Niets. De pagina is geblokkeerd. Heeft ze iets verkeerd gedaan? Keer op keer probeert Ruth het, maar ze krijgt de site van de BWGNG niet open. Is de server overbelast? Zijn er te veel BWGR's tegelijk online?

'Niet zo rammen, Ruth. Een toetsenbord is ook maar een mens.' Von kijkt over haar schouder. 'Lukt het niet? Wat zoek je?'

'Gewoon, een site,' zegt Ruth. 'Ik kan toch gewoon op internet?'

'Jawel. Maar jij zoekt zeker die BW... dinges?'

Ruth knikt onwillig. Volwassenen! Overal moeten ze zich tegenaan bemoeien!

'Die site hebben we moeten blokkeren. Er stonden hier allemaal jongens voor het scherm te schreeuwen en te stampen. Het leek wel een sporthal! Dat konden we niet hebben. De mediatheek is in de eerste plaats een plek om te lezen.'

Ruth laat haar hoofd op haar handen zakken. Ook dat nog. Nu moet ze echt de hele dag wachten tot ze thuis kan kijken of de Dansmeester al heeft geantwoord. Hoe houdt ze dat uit!

'Wat heb jij?' vraagt Anne, die naast haar zit bij aardrijkskunde. 'Kun je niet kappen met dat gewiebel?'

'Ik wacht op een berichtje.' Ruth fluistert; ze heeft geen zin in nog meer straf.

Anne kijkt misprijzend naar de dansers die Ruth heeft zitten tekenen. 'Van die Dansmeester zeker.' Ze snurkt. 'Weet je niks leukers?' Ze klinkt net als Roelie.

'Nee! Dat jij nou niet kunt dansen!'

'O, en jij kunt het wel?'

Weer een vraag. Anne zegt nooit wat, ze verschuilt zich achter vragen. Ruth geeft geen antwoord. Ze is klaar met Anne. Het lievelingetje van alle docenten, maar intussen. Wacht maar tot ze een clip heeft op de site van de BWGNG – dan hoor je Anne niet meer!

In het studie-uur leent ze een iPod van Jeek en luistert alle muziek van de BWGNG achter elkaar af. Ze popelt om te dansen... Andere mensen weten niet hoe het is als je lichaam gewoon móét bewegen. Stilzitten is een marteling; ieder uur duurt een eeuwigheid.

Toch komt de dag om. Maar 's middags is er geen antwoord van de Dansmeester. Op de een of andere manier weet ze ook de volgende dag door te komen zonder te sterven van ongeduld. Ze fietst als een dolle naar huis. Er staat iemand op hun pad. Pinky! Ruth houdt op met trappen. Pinky weet nog niet eens dat ze het clipje hebben opgestuurd...

'Waarom laat je niks van je horen? Ik heb je al tig berichtjes gestuurd!'

'Eh...'

'Was je me vergeten?'

Ruth schudt heftig haar hoofd. 'Mijn mobiel is in beslag genomen. Ga je mee naar binnen? Ik moet je zó veel vertellen!'

'Ik jou ook,' zegt Pinky. 'Ik weet niet eens waar ik moet beginnen.'

Alsof ze nooit ruzie hebben gehad. Ruth draait zich gauw

om naar de trap. Ze heeft haar vriendin erger gemist dan ze dacht, maar om daar nou om te gaan janken...

Haar moeder heeft hun stemmen gehoord. Ze komt aanlopen, moeizaam van deurpost naar deurpost. Als Roelie zo aan komt schutteren, kun je niet even naar boven hollen.

'Hoi, Pink! Hoe gaat het? Fijn dat je er weer eens bent. Wil je thee?'

'Mam!' zegt Ruth ontzet. Nog langer wachten! Maar ze kan er niets tegen doen. Roelie mag helemaal niet weten dat Ruth snakt naar een berichtje van de Dansmeester. Ze heeft geen idee dat het clipje naar de BWGNG is verstuurd.

Op haar thee blazen – wachten. Luisteren naar Roelies uitgebreide vragen – wachten. Pinky's ultrakorte antwoorden duren toch nog veel te lang. Met kleine hete slokjes de thee naar binnen werken – wachten. Eindelijk is de thee op en Roelie moe.

'Kom!' zegt Ruth. 'Naar mijn kamer!'

Maar dan zegt Pinky: 'Ik eh... ik moet mijn broertje gaan ophalen. Sorry. Ik moet rennen.'

Ze kijkt Ruth afwachtend aan. Ruth weet dat ze nu moet zeggen dat ze wel even meeloopt. Maar – de Dansmeester!

Ze duwt Pinky de kamer uit, de tussendeur door, tot achter de jassen. Zacht vraagt ze: 'Heb jij een telefoon bij je? Ik móét mijn berichten even checken. Jim en ik hebben...'

Pinky kijkt haar verwonderd aan.

'Ik heb toch helemaal geen telefoon!'

Ruth zucht. Vergeten. Op haar nieuwe school heeft iedereen er een.

'Ga je nou mee? Ik moet echt weg. Straks staat hij daar in zijn eentje op het schoolplein.'

Ruth twijfelt. De Dansmeester is op dit moment de belangrijkste persoon in haar leven. Hij beslist over haar toekomst. Hij heeft haar lot in handen.

Maar Pinky is haar beste vriendin. Haar wachtwoord is

Ruthbff; Pinky heeft geen geheimen voor Ruth. Voor haar gaat de Dansmeester boven alles – bijna. Want als Pinky moest kiezen tussen de Dansmeester, op wie ze al zo lang verliefd is, en Ruth... dan zou ze kiezen voor Ruth.

En toch... Als de Dansmeester nu eens op antwoord wacht? Misschien zijn er nog meer demo's binnengekomen bij de BWGNG. Misschien kon de Dansmeester niet kiezen. Misschien heeft hij hun allemaal geschreven. En dan wordt het de eerste die reageert... Meegaan met Pinky zou kunnen betekenen dat ze de kans van haar leven verprutst!

'Ik eh...' zegt Ruth.

Pinky slaat haar ogen neer en trekt haar jas aan.

'Oké,' zegt ze. 'Andere keer dan... of zo.'

Ruth doet de voordeur voor Pinky open. Het is beter zo. Pinky zou zelf ook de Dansmeester niet laten wachten.

'Doei dan.'

'Doei.' Ruth fluistert bijna. Pinky's voet zweeft boven de drempel, onbeweeglijk. Ze staart Ruth aan. Ruth heeft de voordeur in haar handen, kan ook niet bewegen. Het voelt verkeerd, het voelt zó verkeerd! Natuurlijk hebben ze niet echt ruzie meer. Maar ze hebben het ook nog niet goedgemaakt. Pinky is altijd al bang geweest dat ze uit elkaar zouden groeien als ze op verschillende scholen zaten. En nu lijkt het alsof dat waar is. Alsof Ruth het zo wil.

Ze laat de deur los, grijpt haar jas van de kapstok.

'Mam! Ik ben met een halfuurtje terug!'

Natuurlijk gaat ze met Pinky mee.

Die avond ligt Ruth al in bed, als ze iets tegen haar raam hoort tikken. Ze schrikt. Dan beseft ze dat het Rif is; die klimt soms over het balkon als hij geen volwassenen wil zien. Hij neemt er een laddertje voor mee uit zijn eigen schuur, een paar tuinen verderop.

Ruth komt uit bed en doet het raam open.

'Sliep je al?'

'Nee, man. Ik lag te lezen.'

'Lezen? Doen mensen dat nog?' Rif lacht.

'Wat kom je doen?'

Rif maakt een paar boksbewegingen.

'Binnen!' zegt hij veel te luid. Hij springt op en neer, verend door zijn enkels. 'Fireball is binnen!'

Ruth staart hem aan. 'Wat bedoel je?'

'Yep! Dat bedoel ik! We krijgen een cliiiip!! Op de site van de Beweging! De Dansmeester gaat Fireball pluggen, man. De Dansmeester zélf! We zijn binnen!'

Het lijkt of Ruth geen adem kan krijgen.

'Dat meen je niet!'

Rif draait op zijn hakken een half rondje, valt dan om op haar bed.

'Nee, ik sta hier voor niks te stuiteren.' Hij springt weer overeind en stuitert demonstratief met twee benen tegelijk. 'Wees blij dat ik het je kom vertellen – waarschijnlijk zitten Jim en Vigo al bij mij thuis. We moeten oefenen. We moeten elke minuut oefenen!'

'Wanneer wordt het opgenomen? Moeten we naar een echte studio? Waar zit de Beweging eigenlijk? In Hilversum? Of in Amsterdam? Moet ik spijbelen?'

Rif houdt zijn hand voor haar mond.

'Kop dicht, garnaal! Wacht, dan lees ik het je voor.' Hij haalt een brief uit zijn zak en vouwt hem open.

'Een brief! Heeft de Dansmeester je geschréven? Laat eens kijken – heb je zijn handtekening?' Ruth gooit het dekbed af en springt uit bed.

'Ruth! Isa!' brult Mark beneden.

Rif wappert met de brief. 'Ja, de Dansmeester heeft zelf on-dertekend, maar dat ziet er een beetje neppig uit. Ik denk dat het een standaardbrief is. Maar onze naam staat er echt boven: "Fireball, ter attentie van Rif Abel". Het staat er écht!'

'En mijn naam?' Ruth probeert hem de brief uit zijn handen te rukken.

Rif houdt hem omhoog.

'Rif, rotjong! Wat schrijft hij over mij?'

Rif wriemelt met zijn mond als een konijn.

'Nou eh, jouw naam had ik er eigenlijk niet bij gezet. Sorry.'

'Dat lieg je!'

'Nee. Ik dacht dat het er niet toe deed. En het maakt ook niet uit, kijk maar. Hij schrijft – de Dansmeester schrijft: "Beste Rif, bedankt voor je bijdrage. Het is fijn dat jullie zo enthousiast meedenken over de BWGNG. Ik heb je demo bekeken en de muziek bevalt ons zeer goed. We hopen dat jij en je band Fireball een keer kunnen komen voorspelen..."'

'Alleen voorspelen?'

'Nee, luister. "Als de kwaliteit zo hoog is als het zich nu laat aanzien, kunnen we dezelfde middag nog een opname maken in onze studio's. Omdat jij/jullie nog minderjarig bent/zijn, heb ik vooraf toestemming nodig van een ouder of verzorger. Een handtekening op bijgaand formulier is genoeg. Vanzelfsprekend draag je de rechten van het nummer aan ons over, maar omdat het voor jou/jullie een uitgelezen kans is om een plaats in de schijnwerpers te veroveren, is het voor alle partijen een win-winsituatie. Er is een gerede kans dat je/jullie via de BWGNG de hitlijsten haalt/halen. Ook zijn er plannen voor een televisieprogramma, waarin jij/jullie mogelijkerwijs een rol krijgt/krijgen."'

Wat een stomme brief, denkt Ruth. Maar dat mag ze niet denken van zichzelf. Hij komt van de Dansmeester zelf!

Rif leest verder: '"Mocht je toch bezwaar hebben tegen deze deal, laat het dan even weten via de mail. Natuurlijk hebben we zoveel aanbiedingen dat je ons daar niet mee dupeert." Nou, daar werd ik wel een beetje zenuwachtig van, hoor. Ik heb het formulier meteen op de bus gedaan.'

'Heeft Menno dan zomaar getekend?' vraagt Ruth. Dat is

niks voor hem. Meestal moet Rifs vader over elk wissewasje eerst uitgebreid met Mark kletsmeieren.

Rif grijnst. 'Menno was weg, materiaal zoeken op de sloop. Maar dat geeft niet, want ik zet zijn handtekening ook altijd zelf onder mijn rapporten.'

Ruth stompt hem grijnzend tegen zijn arm. 'Dat moest ik eens proberen!' Dan fronst ze. 'Maar Rif, hadden ze de toestemming van Mark en Roelie niet nodig?'

Rif aarzelt. 'Ik weet niet... Ze hebben het in de brief alleen over de muziek. Misschien komt er voor jou nog een aparte brief... Maar in ieder geval: we zijn binnen! Fireball mag een nummer opnemen voor de site, en misschien komen we wel op tv. Jij en Maris gaan gewoon mee naar de studio, dan komt het vanzelf goed.'

Voetstappen. De deur gaat open. Marks silhouet tekent zich af tegen het licht op de gang.

'Rif! Ben jij helemaal van de pot gerukt, meneer? Wegwezen! Ruth hoort allang te slapen!'

Rif sprint naar het raam.

'En niet daarlangs! Straks mag ík Menno vertellen dat je in stukken in het lijkenhuis ligt!' Hij duwt Rif de deur door. 'En jij: slapen. Ik wil geen kik meer horen,' zegt hij tegen Ruth.

Ze hoort haar neef de trap af vliegen. Hij vertrekt door de achterdeur; logisch: de ladder staat nog tegen de muur.

Even later is het weer rustig in huis. Ruth glijdt haar bed uit en zet de computer aan. Even later is ze op de website van de BWGNG. Ze stuurt Pinky een privébericht: 'Yessss! We hebben een date met de Dansmeester!!!'

Slapen lukt natuurlijk van geen kant.

'Nee!' Emma's stem is dik van ontzag. 'De Dansmeester zelf?'

'Wauw!' zegt Bo, haar broertje. Sinds zijn show in de gymzaal noemt iedereen hem Liquid Bo. 'En jij krijgt een workshop van hem?!'

Twee kinderen uit Ruths klas blijven staan, Jeek en Marwan.

'Echt niet!' zegt Marwan. Maar Ruth ziet aan zijn gezicht dat hij het tóch gelooft.

'Nou, een workshop, dát weet ik niet,' zegt Ruth. 'We moeten in ieder geval naar het hoofdkantoor komen. En Rif mag voorspelen...' Ze ziet dat er ook een groepje om Rif heen staat. Grote jongens en meisjes. Ze wijst. Jeek en Marwan zien het en trekken hun conclusies. 'Woow – niet zo hard,' zegt Marwan. 'Jij krijgt de Dansmeester te zien? De Dansmeester zelf?!' Hij schreeuwt zo hard dat er anderen op afkomen. Binnen een minuut staan ze rijen dik om Ruth heen. Ze gloeit ervan.

'Hoe heb je dat voor elkaar gekregen?' vraagt Emma.

'Waar is het?'

'Gaat hij je nieuwe moves leren?'

'Mag je echt in een studio dansen?'

'Kom je ook op tv?'

'Goed, man!' Bo doet een paar kronkelige moves van pure bewondering.

'Gaat de Dansmeester die ene dope move van jou gebruiken?'

'De Dope-Stoop-move!'

Ook tweede- en derdeklassers drommen om haar heen. Ruth kan niet eens alle vragen beantwoorden. Ze ziet ook geen kans om uit te leggen dat de Dansmeester eigenlijk niet haar, maar voorlopig alleen Fireball heeft uitgenodigd. Natuurlijk gaat Rif niet zonder haar en Mariska. Maar de kinderen van haar klas nemen nu ineens van alles aan wat zij zelf nog niet zeker weet.

Opeens wil ze weg uit die meute. Ze probeert zich een weg te banen naar de ingang van de school, maar ze komt haast niet vooruit. Kinderen die ze helemaal niet kent hangen als klitten om haar heen. Ze begrijpt opeens hoe het moet zijn om beroemd te zijn. Geen wonder dat die sterren altijd zonnebrillen dragen!

'Wat is er met jullie?' Van Hoessel doemt boven de hoofden van de tweede- en derdeklassers op. 'Kunnen jullie even normaal doen?'

Ze plukt Ruth tussen de anderen uit.

'Gaat het? Wat willen ze van je?'

'Niks,' zegt Ruth. Ze is dankbaar, want ze kon bijna geen adem krijgen, maar ze laat het niet merken.

'Ze wordt een ster,' zegt Emma trots. 'Ze gaan haar opnemen!'

'Mag ik weten waar dit over gaat?' vraagt Van Hoessel pinnig. Zij gaat altijd uit van het ergste. Misschien denkt ze dat Ruth in handen is gevallen van een bende pedofielen of zo.

'De Beweging,' zegt Ruth. 'U weet wel, van de spreekbeurt van Derek.'

'En wat heb jij daarmee te maken?'

'Ze is góéd!' roept Bo.

Ruth voelt dat ze kleurt. Zo'n compliment van Liquid Bo!

'Weten je ouders daarvan?'

Ruth aarzelt. Ze denkt aan Mark, aan zijn gemopper toen hij het filmpje monteerde. En dan denkt ze aan Roelie. Kon ze maar beter liegen!

'Nee dus,' zegt Van Hoessel. 'Dit moet ik maar eens uitzoeken.'

Het is een dag van pieken en dalen. Ruth voelt zich opgetild in de pauzes, als hordes kinderen zich om haar verdringen om het nieuws uit de eerste hand te horen. Ze staat tussen de leden van Fireball alsof ze erbij hoort. Ze voelt zich bijna zelf een derdeklasser. Jim vraagt haar zelfs af en toe iets. Maar juist als hij dat doet, krijgt ze het te benauwd om mee te praten. Gek, tijdens het opnemen van de clip ging alles vanzelf tussen hen. Wat is er veranderd?

'Ga jij maar liever niet mee naar de studio,' zegt hij. 'Ik wil niet dat de Dansmeester je van me afpikt. Als hij jouw moves ziet...!'

'Slijmbal,' zegt Rif. 'Zó goed danst ze helemaal niet eens.'

'Jij hebt er geen verstand van, kaas!' zegt Jim. 'Misschien heeft Fireball het allemaal wel aan de meisjes te danken! Het is een dánsmeester, hoor!'

Mariska, hand in hand met Rif, doet of ze het allemaal heel gewoon vindt, maar er schemeren felle blosjes door haar make-up heen.

'Het gaat gebeuren!' zegt ze zachtjes tegen Ruth.

'Ja. Het gaat gebeuren.' Ruth gelooft er nu helemaal in. Van alle kanten krijgt ze Danstourkaarten. Haar agenda kan niet meer dicht, zo dik is de stapel. En ze wordt bestookt met vragen.

'Kom jij in mijn studio? Alsjeblieft?'

'Kun jij ons niet een paar moves leren?'

'Vraag je een handtekening aan de Dansmeester voor mij?'

'Als jij de kaart van de Dansmeester krijgt, geef je hem dan door aan mij?'

Zelfs de jongen met de stekeltjes, die zo houterig beweegt, drukt haar een Danstourkaartje in haar handen. Maar dat verfrommelt Ruth meteen. Ja, je moet dus wel kunnen dánsen!

Liquid Bo trekt aan haar elleboog. 'Zullen we samen een choreootje maken?'

Jim slaat beschermend zijn arm om haar heen. 'Mannen, mannen! Heb meelij met een arme ster!'

Ruth weet niet waar ze het zoeken moet van verlegenheid. Zij, een Ster BWGR? Is dat dan straks geen droom meer?

Maar tussen de pauzes door rolt ze van haar zonnige top in een ijskoud dal. Bibberend van de zenuwen zit ze tijdens de lessen poppetjes te tekenen. Van Hoessel belt misschien haar ouders. Dat zou alles verpesten, want Roelie wil het niet en Mark doet ook al moeilijk tegenwoordig.

De poppetjes die Ruth tekent, dansen gewoonlijk. Maar op deze rare dag willen haar poppetjes niet dansen. Ze staan stijf naar voren te staren, met grote ogen en hoekige schouders. Alsof ze een monster zien naderen.

'Ruth, kom eens.'

Roelie zegt het aardig genoeg, maar Ruth verstijft, één voet al op de trap. Daar heb je het.

'Ruth!' Mark komt naast Roelie staan. Dat kan maar één ding betekenen: Van Hoessel heeft naar huis gebeld. Of Menno heeft Rifs contract gevonden. Of zoiets. In ieder geval: haar ouders weten het.

Met zware benen stapt Ruth de woonkamer in. 'Wat is er?' Ze kijkt niemand aan. 'Ik moet dringend iets doen.'

Iemand lacht. Ruth kijkt om. Haar oom Menno zit op de ontbijtbar met zijn benen te schommelen. Bombom, bombom – zijn hakken trommelen tegen de schrootjes.

'Wat is er?' vraagt Ruth. Ze krijgt bijna geen geluid uit haar keel. Haar knieën voelen slap aan en ze moet steun zoeken.

Net nu. Net nu het ging lukken.

Haar moeder drukt op een knopje en de rolstoel schiet op Ruth af. Roelie steekt een arm uit en ondersteunt haar.

'Wat is er? O lieverd, ga zitten. Toe, even rustig aan. Niets aan de hand. Gewoon laten gebeuren, dat is het beste. Ga mee met de golf... ontspan je. Gewoon ontspannen. Toe maar, rustig maar.' Ze klinkt zo zenuwachtig dat Ruth er bang van wordt. Ontspannen? Als je moeder doet alsof je een patiënt bent? Als je altijd kattige moeder opeens 'lieverd' tegen je zegt?

'Niks aan de hand... Er is niks... met mij,' brengt Ruth uit.

Maar Mark leidt haar naar de bank en ze moet ook echt gaan zitten, want haar benen houden haar niet. Is dit het? Gaat het hier om? Weten haar ouders op de een of andere manier dat ze ziek is, dat het nu gaat gebeuren? Dat het uit is met dromen en hopen en... De Dansmeester! Ze móét hem zien! Ze móét voordansen!

'Ik wil dansen...' stamelt ze.

'Ruth,' zegt Mark. 'Nu niet, lieverd.'

Help, nou zegt hij het ook al! Wat is er toch aan de hand? Ze zijn niet boos. Of tenminste niet meer. Het is nu of nooit. Ze schraapt haar keel.

'Ik ga toch dansen,' zegt ze. 'Hoe dan ook. Ik móét dansen!'

'O jee,' zegt Menno. 'Zó met zichzelf bezig, die pubers.'

'Ze is geen puber,' snauwt Mark.

'Schat,' zegt Roelie. Maar dat klinkt niet zoals dat 'lieverd' van daarnet.

'Sorry,' zegt Mark. 'Zal ik het zeggen? Of wil jij...?'

Ruth kijkt verbijsterd van de een naar de ander. Dat klinkt niet of er een preek aankomt. Wat hebben ze toch?

Opeens hoort ze een soort dierengeluid van boven. Een ezel die balkt, een koe die loeit, een bronstig hert – is dat Isa?

'Wat heeft die?' vraagt Ruth.

Menno grinnikt. 'Het begint met een p en het eindigt met -teit.'

Roelie rijdt dichterbij en pakt Ruths hand. Opeens voelt Ruth dat er een spiertje trilt in het dikke deel bij haar duim. Haar mond wordt droog en haar oren beginnen te suizen. Nee! denkt ze. Nog niet! Mij pakt die rotziekte niet!

'Niet schrikken, lieverd.' Roelie zet een lage stem op. 'Het is niet ernstig en het leven gaat gewoon door. Je zult zien dat alles over een maand of twee op zijn pootjes terecht is gekomen. Nou ja, misschien niet letterlijk. Dat alles weer op rolletjes loopt dan.'

Een rolstoel! Ze moet in een rolstoel! Ruths blikveld wordt kleiner.

'Ze valt flauw,' hoort ze heel ver weg de stem van Menno.

'Duw haar hoofd tussen haar knieën...'

Opeens staat Stoop naast haar. Hij wijst naar twee fietsende jongens op het schoolplein; ze draaien rondjes op hun achterwielen, om elkaar heen.

'Iedereen danst, zie je wel?' zegt Stoop. 'Waarom jij eigenlijk niet?'

Er rolt een vurige bal tussen hem en haar door. De tafel waarop ze staan brandt doormidden en Ruth valt...

'Goeiemorgen,' zegt Menno. 'Lekker geslapen?'

Ruth weet even niet waar ze is. Dan schrikt ze: is ze echt flauwgevallen? Ze heeft gedroomd...

'Gaat het weer, lieverd?' Roelie tilt haar kin op en kijkt haar onderzoekend aan. 'Zó erg is het anders niet, hoor. Er is geen levensgevaar. De operatie duurt niet zo lang. Het is alleen dat de narcose gevaarlijk kan zijn. Het herstel zal langer duren. Er is nu plek in het revalidatiecentrum, daarom moet het op stel en sprong. Het kan neerkomen op opnieuw leren lopen. Dat weten we pas na de operatie.'

'Wat voor operatie?' stamelt Ruth. Ze merkt dat de volwassenen blikken wisselen.

'Niks ernstigs, dat zeg ik toch,' zegt Roelie. 'Ze halen gewoon iets weg wat er niet hoort. Maar het moet onder narcose en dat is riskant. Het kan een klap geven, een terugval. Weet je, ze noemen het een spierziekte, maar eigenlijk zijn het je zenuwbanen...'

'Maar ik...' stamelt Ruth.

'Jij? We zullen goed voor je zorgen,' zegt Menno met een glimlach.

'Tot alles weer normaal is.' Mark knikt.

Het zal nooit meer normaal worden.

'En Isa...? Waarom huilt ze zo? Heeft zij ook...?'

'Welnee. Isa gaat bij tante Jop logeren, dat is vlak bij de kliniek. Dan kan zij naar alle bezoeken – dat red ik niet met mijn werk. Ze huilt omdat ze denkt dat ze geen week zonder haar vriendje kan.'

'Ik hoef Isa niet!'

Drie gezichten staren haar aan.

'Ik wil gewoon thuisblijven! En die operatie hoef ik...'

Menno proest het uit. 'Ik zei het toch! Middelpunt van het heelal.'

Ruth klapt haar mond dicht. Mark schudt zijn hoofd. En Roelie kijkt zielig.

Daardoor begrijpt Ruth het ineens. Haar hoofd voelt alsof het gaat ontploffen. Het is Roelie! Roelie die geopereerd moet worden! Ze schaamt zich dieper dan ze ooit gedaan heeft. Ze wil opstaan, wegrennen of zo, maar Roelie heeft haar rolstoel schuin voor de bank gezet en grijpt haar pols.

'Geeft niet, lieverd. Ik begrijp het wel. In jouw plaats zou ik ook bang zijn. Tenslotte kan het iedere dag toeslaan. Maar in dit geval gaat het om mij.'

Ruth werpt een schichtige blik op haar moeder, die glim-lacht.

'Wanneer?' vraagt Ruth.

'Maandag,' zegt Mark, gelukkig zonder 'lieverd' erbij.

'En jij,' zegt Menno, 'logeert zo lang bij ons. Dat wilden we je alleen maar even vertellen.' Hij lacht haar in haar gezicht uit.

Ruth rent naar boven.

Maar als ze maandag voor school haar toilettas, een slaaphemd en haar laptop op de logeerkamer van haar oom en tante zet, moet ze opeens diep ademhalen. Vrij! Roelie blijft een paar weken weg. Dat betekent dat Ruth een paar weken lang haar gang kan gaan, want Mark heeft een nieuwe klant en haar oom en tante vinden alles best.

'Goed zo.' Tamara, Rifs moeder, kijkt om de hoek. 'Ik ga me in de files storten. Ik zie je vanmiddag wel. Vind je het erg rot?' Ze kijkt Ruth indringend aan. Ze heeft rood haar en pikzwarte wenkbrauwen; daardoor lijkt ze op een heks, maar ze is aardig.

'Helemaal niet,' zegt Ruth. 'Leuk juist.' Ze wijst op haar computer. 'Ik doe soms wel een dansspel. Mama zegt dat ik stamp.'

Tamara lacht. 'Geeft niks. Wij zijn het lawaai van Rif gewend. Nou, maak dat je wegkomt, je komt te laat anders.'

Ruth racet naar school. Ze voelt zich licht en blij. Ze haalt zowat iedereen in, zelfs Rif, die één bonk spieren is.

'Hé garnaal, wat een haast! Ga je mee vanmiddag?'

Ruth houdt in.

'Vanmiddag?'

'Naar de studio. Menno brengt ons.'

'Vanmiddag al?' De zwaartekracht doet het opeens weer. Ruth heeft geen uitnodiging gekregen. Zodra ze de fietsenstalling uit is, rent ze naar de conciërge.

'Ik mag mijn telefoon terug. Ruth Abel, 1C.'

De conciërge zoekt zuchtend tussen de vele mobieltjes. 'En laat hem nu uit staan! Jullie bezorgen me handenvol werk.'

Onder het lopen meldt Ruth zich aan bij de BWGNG. De pagina doet er eindeloos lang over om te laden. Eindelijk klikt ze door naar haar persoonlijke berichten. Ja! De Dansmeester heeft haar een bericht gestuurd! Is het een uitnodiging om te komen dansen?

Beste Ruthie,

Goed dat je zo enthousiast meedoet aan de BWGNG! Wil je ook een Ster BWGR worden? Film dan jezelf en stuur je moves in! Misschien neemt de Dansmeester een van jouw moves wel over!

Bedenk: de computer is niet je beste vriend. Dat ben je zelf.

Liefs van de Dansmeester

'Ga je nou mee?' Rif blijkt naast haar te lopen. Hij houdt in bij de trap.

Ruth aarzelt.

'Om drie uur bij mij thuis, Maris komt ook.'

'Ik ben niet uitgenodigd.'

'Logisch. Ze weten je naam toch niet. We gaan gewoon met z'n allen.'

Ja, natuurlijk horen de dansers er ook bij – het is dus wel de BWGNG! Natuurlijk gaan Mariska en zij ook mee!

Dan schrikt ze.

'Om drie uur heb ik nog les.'

'Dan spijbel je maar. Ja, wat vind je nou belangrijker?'

De BWGNG natuurlijk. Ruth knikt.

Pas in de klas dringt het tot haar door: ze gaat naar de studio van de BWGNG! Het gaat écht gebeuren! Onder tafel stuurt ze meteen een berichtje aan Pinky en Emma.

Barrel kijkt over haar schouder mee.

'Je voelt je een echte held nou, hè?'

Ruth geeft geen antwoord. Ze is bezig haar telefoon uit te zetten – ze wil hem niet wéér kwijt.

In de rij bij het raam klinkt gelach. Ruth ziet dat Wesley iets verscheurt – het lijkt wel een Danstourkaart.

'Wat doe je?' vraagt ze verbouwereerd. Wesley is toch ook van de BWGNG?

'O, daar is niks aan verloren, hoor. Die is van Vinnie, stom joch. Een zitzak! Die ga ik dus echt niet aan ping helpen!'

'Nee, inderdaad.' Noor haalt een kaartje uit haar agenda en verscheurt het ook. 'Hij print een stapel kaartjes en dan denkt hij dat hij ook meetelt! Maar als ze niet kunnen dansen, hoeven ze ook niet mee te doen. De Beweging is voor Bewégers!'

Ruth bedenkt dat ze zelf ook de Danstourkaart van Vinnie heeft weggegooid. Eigenlijk sneu dat niemand hem in zijn studio wil. Ze vangt een strakke blik op van Anne. Kijk maar, denkt Ruth. De BWGNG is nu eenmaal voor dansers.

Mariska heeft haar gymtas bij zich. In de pauze laat ze Ruth een stukje paarse glitterstof zien.

'Ik heb er ook een rokje bij. We verkleden ons daar in de

studio, toch? Ik hoop dat ze een strijkijzer hebben.'

Kleren! Ruth heeft er nog geen moment aan gedacht. Ja, ze zal toch op zijn minst iets paars aan moeten trekken. Ze zal het thuis moeten halen; hopelijk heeft Mark niets door.

Emma en Liquid Bo komen aanlopen. Ze blijven naast elkaar voor Ruth staan.

'Zeg het maar.' Emma stoot haar broertje aan.

'Hé Ruth.'

'Hé Bo.'

'Zeg dan,' zegt Emma.

'Eh, ja. Nou, eh... Ik dacht: waarom doen wij ook niet een dance mob?'

Ruth bijt op haar lip. En dat komt hij aan haar vragen! De beste danser van de school!

'Geheime vergadering?' Rif is erbij komen staan. Wat raar! Dan ziet Ruth dat Rif zijn arm om Mariska heen slaat. Zij glundert trots.

Bo laat zich niet van de wijs brengen.

'Een flash mob, en dan met dansen dus. Uit het niets beginnen, tot je met een heleboel bent. En dan opeens ophouden. Gaaf, man. Zaterdag in het winkelcentrum?'

'Leuk,' zegt Mariska. 'Toch, schat?'

Rif steekt zijn tong in haar oor.

Ruth kijkt gauw weer naar Bo en Emma. 'Ja, heel leuk. Maar er is er al een geweest in het winkelcentrum. Beter ergens anders, anders wordt het zo gewoontjes.'

'Op het Raadhuisplein dan,' zegt Bo meteen, alsof hij er al over nagedacht heeft. 'Daar is het zaterdagmiddag ook heel druk. En je kunt de muziekbox boven op het terras van de Eterij zetten, lekker hard.'

'Goed plan,' zegt Emma.

Ruth knikt. Maar opeens schiet haar iets te binnen.

'Vrijdag is de schoolavond....'

'Ja, Fireball treedt op!' zegt Mariska trots.

'Daarom. Als we het nou eens op school doen? Ik zie het voor me... Misschien is het niks...' Ruth aarzelt. Maar als ze ziet dat Emma en Bo en zelfs Rif haar verwachtingsvol aankijken, gaat ze door. 'We verspreiden ons in de zaal, zitten gewoon in het publiek. En dan opeens, als Fireball het nieuwe nummer inzet, het nummer van de clip, hè? Dan staan er een paar op. We gooien onze donkere kleding af en dan staan we daar in het paars. En dansen!' Ze kijkt rond. 'Alle Bewegers kunnen meedoen. Dat is... dat is...'

'Een dááád!' zegt Bo.

'Een statement,' zegt Rif.

'Goeie reclame voor de Beweging,' zegt Emma.

Ruth knikt. 'Dan weet de hele school in één klap wie we zijn.'

'Dan kunnen ze echt niet meer om ons heen,' zegt Rif.

'En wie niet voor ons is, is tegen ons.' Mariska knikt.

'Vet plan,' zegt Bo stralend. Hij doet een van zijn speciale dansmoves.

'Oké dan.' Ruth kijkt van Bo naar Emma. 'Waar zullen we oefenen?'

Bo kijkt verlegen.

'Op het pleintje achter ons huis,' zegt Emma voor hem. 'Tussen de garages, daar ziet niemand ons.'

'Alleen als jij dat oké vindt, hoor,' zegt Bo tegen Ruth.

Mariska snauwt: 'Hoezo? Ze is de koningin niet!'

Nee, dat was jij altijd, denkt Ruth.

'Ze probeert steeds de baas te spelen,' zegt Mariska.

Ruth kijkt haar aan. 'Zé heeft een naam, hoor. En ik wil helemaal niet de baas spelen. Ik kan alleen beter dansen dan jij.'

Rif grinnikt en schudt Mariska een beetje heen en weer.

'Maak de garnaal niet boos! Ze bijt.'

Ruth steekt haar tong naar hem uit. Tegen Bo zegt ze: 'Doe jij de choreo maar. Jij hebt er het meeste verstand van.'

Bo lacht en maakt weer een paar kronkelbewegingen. Dan

rent hij weg. Rif laat Mariska los en loopt naar zijn vrienden. Mariska lijkt hem achterna te willen gaan.

'Niet doen,' waarschuwt Ruth. 'Dan maakt hij het meteen uit.'

Mariska doet of ze dat niet hoort en harkt door haar haren.

'Het was Bo's idee,' zegt Emma. 'Dat vind je toch niet erg, Ruth?'

'Doe niet zo gek.' Ruth ziet dat Bo bij een vriend gaat staan; het is die jongen met het stekeltjeshaar – Vinnie.

'Bo's beste vriend,' zegt Emma. 'Raar hè, Vinnie kan juist helemaal niet dansen; hij heeft reuma.'

'Daarom hoeft hij de Beweging nog niet af te kammen,' zegt Mariska. Ze ziet eruit of ze zin heeft om ruzie te maken. 'Hij zit ons af te zeiken en zelf kan hij niks.'

Ruth fronst. Gaan andere kinderen zó doen als je een ziekte hebt?

'Hij wil wél meedoen,' zegt ze. 'Hij deelt Danstourkaarten uit.'

'Ja, zo kan ik het ook!' smaalt Mariska. Ruth kijkt haar verwonderd aan; is Mariska dan niet op dezelfde manier opgeklommen?

Emma gaat er niet op in. Ze vraagt aan Ruth: 'Is het oké als we vanmiddag al beginnen met oefenen? We hebben maar een paar dagen.'

Ruth knikt, verbaasd. 'Waarom vragen jullie alles aan mij?'

'Omdat jij Ster Beweger wordt!' zegt Emma. 'En je krijgt de Dansmeester te zien! Ga je hem de Dope-Stoop-Move voordoen? Ik ben zó jaloers!' Ze ziet er helemaal niet jaloers uit.

'Ja, leuk voor Ruth dat ze ook mee mag,' zegt Mariska.

Ruth geeft geen sjoege, maar Emma schiet in de lach.

Mariska loopt met een boos gezicht weg. Ze gaat toch bij het groepje van Rif staan, slaat haar arm om zijn middel en probeert hem te zoenen. Daar moet Rif niks van hebben – niet waar zijn vrienden bij zijn. Hij doet een stap opzij; Mariska's arm valt dwaas neer. Ruth grinnikt. Ze wil naar binnen gaan, maar ze blijft staan als ze ziet dat Bo een paar danspassen voordoet. Er vormt zich meteen een groepje om hem heen.

'Een dance mob?' vraagt Yeliz. 'Wat is dat dan?'

Bo praat en danst tegelijk.

Een van zijn vrienden beatboxt erbij: 'Tjoeftikketok, paf, tjoeftikketikketok pafpaf!'

Twee jongens en drie meisjes proberen Bo's passen na te doen en dringen, niet expres, de houterige Vinnie aan de kant. Die valt bijna, maakt zich los uit het groepje, blijft nog even staan kijken en loopt dan weg. Ruths voeten beginnen vanzelf te bewegen; het ritme dat de jongen met zijn mond maakt is zó aanstekelijk! 'Trr, trr, oem, trr, trr paf! Doengdikkedok, doengdikkedoeng!' Zo heb je niet eens muziek nodig!

Ze leert de namen van een paar moves, want Bo weet er alles van. De gekke Frog Jump, de woeste Kick Step, de moeilijke Body Twist en de Windmolen – maar die kan Bo alleen zelf.

Jammer, de bel gaat. Ruth komt tegelijk met Bo's vriendje bij de ingang aan. Arme Vinnie, zelfs gewoon lopen gaat hem moeilijk af. Zal ze iets tegen hem zeggen? Ze kijkt opzij.

'Je hoeft niet zo te kijken! Denk maar niet dat je speciaal bent!' valt hij uit. Ruth houdt in en laat hem voorgaan. Vinnie laat de deur voor haar neus dichtvallen. Misschien was het gezichtsbedrog – of had hij echt tranen in zijn ogen?

Maar dat heeft niets met haar te maken. Achter Vinnies rug doet ze een paar keer de Dope-Stoop-move. Zij mag vanmiddag naar de Dansmeester!

Tot Ruths verwondering is Rifs moeder niet op haar werk als ze thuiskomt. Dat is pech; Ruth was van plan stiekem weg te sneaken. Het is de eerste keer dat ze spijbelt, maar dat heeft Tamara toch niet door, want die kent haar rooster niet. Rifs schoenen staan onder de kapstok; hij heeft dus op haar gewacht.

'Laat je jas maar aan,' zegt Tamara. Ze begint haar eigen jas aan te trekken en roept: 'Rif! We gaan, hoor!'

'Joehoe!' roept Rif terug.

'Breng jij ons weg?' vraagt Ruth. Dat is beter; Menno doet niets zonder het aan Mark te vragen en Mark mag hier nu eenmaal niets van weten.

'We gaan met z'n tweetjes,' zegt Tamara. 'Mark zit bij zijn klant; hij en Isa gaan vanavond. Stel je er niks van voor, hoor. De operatie is prima gegaan, maar ze is nog suf van de verdoving.'

Roelie! Ze moet op ziekenbezoek. Maar toch niet nu, alsjeblieft niet nu!

'Ik kom zo,' zegt Ruth. Ze rent naar boven, loopt de logeerkamer voorbij en stormt door naar Rifs kamer. Hij ritst net de hoes van zijn gitaar dicht.

'Tamara wil me ontvoeren naar het ziekenhuis!'

Rif knikt. Beneden gaat de bel.

'Daar heb je Maris,' zegt Rif. 'Rot voor je dat je niet mee kunt. Maar Mariska kan het ook wel in haar eentje. Het gaat toch om de muziek, hè.'

Ruth ziet hem opeens wazig. Ze spert haar ogen open; tranen zijn kinderachtig.

'Het gaat om dánsen! Het is de Bewéging!'

Rif haalt zijn schouders op.

'Ja, klopt. Maar ja, nu is Fireball aan de beurt. Ik zorg wel dat ze het clipje nog eens bekijken en dan geef ik ze jouw naam, oké? Maar nu moeten we echt gaan. Menno wil ons niet brengen, die is ertegen, dus we moeten met de trein.'

'Rif!' Ruth kan niet geloven dat hij haar zomaar in de steek laat. Het hele idee was van haar!

Mariska stapt zijn kamer binnen. Ze zoenen. Ruth kijkt walgend toe. Hebben die lui niks anders te doen? Ruth redden bijvoorbeeld?

'Ruth! Schiet op! Je moeder wacht!'

Wat kan ze doen? Ruth loopt naar beneden.

'Tamara, sorry, maar ik kan niet. Ik moet... Rif en Mariska en ik moeten iets doen. We...'

'Iets doen?' vraagt Tamara.

Er is nog hoop!

'Ja, we zijn ergens uitgenodigd. Rif gaat spelen met Fireball en Mariska en ik... nou ja, wij moeten dansen. Het is echt heel belangrijk.'

Tamara's zwarte wenkbrauwen wiebelen.

'Toch niet iets van die Beweging, hè? Daar hoor ik rare dingen over.'

Ruth zwijgt. Waarom bemoeit iedereen zich met haar? Ze wil alleen maar dansen!

'En daarbij: dansen? Sorry Ruth, maar je weet dat je moeder dat niet wil. Dat moet je eerst met haar uitvechten. Stel je voor dat je... dat je lichaam het niet aankan. Nee hoor, dat neem ik niet op me.'

'Alsjeblieft!' smeekt Ruth.

'Sorry, meisje. En kom nu. Denk aan die arme Roelie, daar alleen in dat ziekenhuis. Dat dansen komt wel een andere keer. Je moeder gaat voor.'

Ruth geeft het op.

Het is allemaal nog voor niets ook, want Roelie slaapt. Ze ligt op een afdeling tussen knorrige oude mensen; Ruth vindt het doodeng. Het is er bloedheet.

Roelie snurkt een beetje. Tamara probeert haar wakker te krijgen met wat vriendelijk gepor en aanmoedigende woorden.

'Roel, Roeltje? Kijk! Ruth is gekomen!'

Het helpt niet. Er gaat maar één oog open, heel even.

'Dors...' mompelt Roelie. Haar lippen zijn wit uitgeslagen; er kleven verdroogde velletjes op. Bij elke ademhaling maken haar lippen een plofje.

Er staat een beker water met een gebogen rietje naast het bed. Tamara probeert Roelie te laten drinken, maar ze is alweer onder zeil.

Gelukkig worden ze gauw afgelost door Isa en tante Jop.

'Mazzelkont,' zegt Isa als ze weggaan. Dat ergert Ruth: haar zus heeft geen idee!

In de auto terug probeert ze contact te krijgen met Rif, maar die heeft óf geen bereik, of zijn telefoon staat uit. Daarom gaat Ruth uit het raam zitten kijken. Tamara babbelt voor zich uit en heeft niet door dat Ruth niet antwoordt.

Morgen vraagt iedereen op school hoe het is geweest. En dan is het Mariska die antwoord geeft. Wat zal ze genieten!

Nou ja, dat kan Ruth niet schelen. Mariska mag best alle eer krijgen. Maar de Dansmeester! Opeens beseft ze waar ze op heeft gehoopt. Als de Dansmeester haar talent had herkend, zou hij met Mark en Roelie zijn gaan praten: 'Het zou zonde zijn om dit meisje het dansen te verbieden!' En dan zouden haar ouders natuurlijk toegeven...

Tamara rijdt een parkeerplaatsje op.

'Hier is het gratis. Wacht je even? Dan doe ik snel boodschappen. Of wil je liever mee?'

Ik ga wel mee, wil Ruth zeggen. Maar achter Tamara's hoofd herkent ze opeens het logo van de Spoorwegen. Het parkeerplaatsje ligt aan de achterkant van een station.

'Ga jij maar,' zegt ze.

Tamara is de parkeerplaats nog niet af, of Ruth heeft al een berichtje aan Rif verstuurd. Deze keer doet ze het via de site van de BWGNG. Wonderlijk genoeg krijgt ze meteen antwoord.

'Waar zijn jullie?'

'In de studio. Geheugen verloren, garnaal?'

'Waar is het?'

'Dat is dus wel supergeheim, hè.'

'Doe niet zo flauw.'

Rif geeft geen antwoord meer. Maar Jim is bij hem! Ruth probeert het bij hem. En ook Jim is online. Hij geeft meteen het adres.

'Niet verder vertellen!' voegt hij eraan toe.

Ruth zoekt het op. Het is vlak bij een station. En dat ligt aan dezelfde lijn als het station waar zij zelf is; misschien een halfuurtje verder. Ze is de auto al uit. Als je zó'n kans krijgt, mag je die niet laten lopen. Een vingerwijzing van het lot, noemt Mark dat altijd. Hij bouwt er in al zijn games een paar in. Als je ze negeert, kom je nooit op het volgende level.

Ze heeft nog nooit alleen met de trein gereisd. Maar een oudere dame met paarse laarzen laat zien hoe je de route kunt opzoeken. Spoor 2 moet ze hebben – daar staat ze al. En de goede trein komt er net aan. Zie je wel, allemaal vingerwijzingen van het lot. Ze is op weg naar de sterrenstatus!

Twintig minuten later staat ze op een kantorenterrein. Dus de studio is niet op het complex van de televisie. Ruth dwaalt tussen de grijze gebouwen door tot ze een paars-blauwe vlag ziet, met BWGNG erop. Dus de BWGNG heeft een eigen studio! Nu eropaf... Haar tong wordt droog.

De draaideur is zwaar, ze krijgt hem bijna niet rond. Er zit een dame achter de balie die Mariska's moeder kon zijn.

'Wat kan ik voor je doen?'

'Ik zoek mijn neef,' zegt Ruth. Ze kan beter niet meteen naar de Dansmeester vragen. 'Hij is bezig een clip op te nemen voor de Dansm... voor de Beweging. Ik ben een beetje laat, sorry.'

'En je naam is?'

'Ruthie,' zegt Ruth in een opwelling. Het is haar nickname.

De vrouw tikt het in. 'Hm... je staat niet op de gastenlijst... Maar wacht eens! Je bent wel lid van de Beweging, hè? Ja, hier heb ik je: Ruthie. Goh, en je bent al Senior Beweger! Goed zo, meisje.'

Ruth knikt.

'Maar je begrijpt wel dat niet iedereen hier zomaar binnen mag, hè. Daar kunnen we niet aan beginnen. Er zijn duizenden Bewegers die dat ook wel zouden willen.'

'Maar ik hoor bij Rif Abel. Bij... bij Fireball. De band. De Dansmeester heeft een nummer van hem – van ons gekocht. Een dansnummer. Ik hoor bij de dansers.'

Ruth kijkt de vrouw strak aan. Maar dat werkt juist verkeerd; de blik van de vrouw wordt hard. Hoeveel fans van de Dansmeester krijgt ze per dag aan de balie?

'Kijk dan op uw lijst! Daar staat Rif bij, echt! Bij de A, hij heet Abel.'

De vrouw werpt een blik op haar scherm.

'Ik zie niks.'

'Maar hij móét er staan! Bij de F anders, van Fireball? Alstublieft!'

De vrouw scrolt naar beneden.

'Hm. Fireball, inderdaad. Rif Abel, Jim Hendriks, Vigo Deen, Job Sneeveld – geen Ruthie.'

'Ruth. Ruth Abel. Ik hoor erbij, echt. Mariska staat ook niet op uw lijst en die is wél binnen. Mariska Spaans. Háár hebt u gewoon binnengelaten!'

De blonde vrouw zucht zichtbaar.

'Ik zal even voor je bellen.'

Ruth knijpt haar handen tot vuisten. Het gaat lukken!

'Ja hoi, met Tess van de receptie. Kun je even beneden komen? Ik heb hier een kind dat zegt dat ze voor jou komt. Doe ik, dank je.'

Ruth moet gaan zitten. Haar hart klopt in haar keel. De Dansmeester komt naar beneden! Nog een paar minuten, dan staat ze tegenover hem. De enige echte Dansmeester zelf! Was Pinky er maar bij... Ze probeert een berichtje aan Pinky te tikken, maar haar vingers trillen te veel. Wat moet ze zeggen zo meteen? Zal ze wel een woord uit kunnen brengen? Haar mond is zo droog. En ze heeft maar één kans... één enkel ogenblik dat de rest van haar leven bepaalt!

In een hoek staat een waterkoelapparaat te borrelen, maar Ruth durft geen bekertje te tappen. Even volhouden...

Eindelijk doet de lift ping! De deuren schuiven open. Er komt een klein meisje uit dat zoekend om zich heen kijkt. Ze draagt zwarte en blauwe danskleding. Ruth rekt haar nek. Maar de lift gaat weer dicht zonder dat er verder nog iemand uitstapt. Geen Dansmeester.

Het kind kijkt vragend naar de receptioniste.

'Daar zit ze!'

Het meisje draait zich om en loopt op Ruth af. Nu ziet Ruth dat het helemaal geen kind is; het is een heel kleine vrouw, met kort zwart haar en rimpeltjes bij haar ogen. Ze steekt haar hand uit.

'Welkom! Ik ben Blue, de assistent van de Dansmeester. Hij heeft me gevraagd je te woord te staan. Zeg het eens: wat kan ik voor je doen?'

En dan, op het belangrijkste moment van haar leven, is Ruth niet in staat iets te zeggen. Ze is zó teleurgesteld. Ze lijkt wel verlamd. Ze voelt haar handen en voeten niet meer en haar tong ligt log in haar mond. Haar kaken gaan wel open, maar er komt gewoon niets uit haar strottenhoofd, zodat ze klapbekt als een vis. Zenuwen, pure zenuwen – niks anders.

'Ik bijt niet, hoor.' De vrouw die Blue heet, kijkt haar glimlachend aan.

Het is vreemd om een volwassene recht in het gezicht te kunnen kijken. Maar het maakt wel dat ze niet bang is voor deze Blue.

'Kwam je voor de Dansmeester?' De stem klinkt zacht en begrijpend.

Ruth knikt. 'Ik... ik zou voordansen. Rif, dat is mijn neef, komt een nummer opnemen vandaag. Mariska en ik hebben het clipje ingedanst.'

Blue knikt.

'Talentvolle jongen, die Rif. En die drummer! Heel mediageniek. Dat kan nog wat worden. Fireball – de producent vond het zó'n geschikte naam! Nou, het zit er bijna op, we zijn zo goed als klaar met de opnames. Het moet altijd een paar keer, snap je.'

'En het dansen?' vraagt Ruth vol hoop. Misschien zijn ze daar nog niet aan toegekomen.

Blue schudt haar hoofd. 'Het draaiboek voor vandaag zegt niets over dansen. Het nummer wordt gebruikt voor een clip met de Dansmeester, snap je.'

Ruth knikt – natuurlijk. De hele BWGNG draait om de Dansmeester.

'Maar moeten er dan geen kinderen bij? Er zitten toch ook kinderen in die clips?'

Blue pakt haar handen beet. De hare zijn droog en een beetje koud. Ruth kan de dunne botjes voelen.

'O jee,' zegt ze. 'Ik verpest al je dromen, hè? Je had je hier ontzettend op verheugd.'

Ruth knikt en slaat haar ogen neer. Het zou beter zijn als die Blue niet zo aardig deed.

'Die kinderen,' zegt Blue langzaam, 'zijn voor een deel professionele dansers, en zó jong zijn ze nou ook weer niet. Het komt wel eens voor dat we een Beweger vragen om mee te doen. Niet dat ik daarover beslis, trouwens. Ik sta de Dansmeester bij en ik ontwerp wat hij aan moet trekken. Dus ik sta met mijn neus altijd vooraan – zou je niet graag mijn baan willen hebben?' Ze kijkt Ruth aan of ze beste vriendinnen zijn.

'Maar die kinderen in die clipjes,' houdt Ruth aan.

'O ja. Nou, om mee te mogen doen moet je echt héél goed zijn. Dan kun je een workshop verdienen. Als de Dansmeester iets in je moves ziet, nodigt hij je misschien uit. Maar je moet natuurlijk eerst een clip online hebben staan.'

'We hebben het toch opgestuurd,' mompelt Ruth. Ze heeft gedacht dat dat de kortste weg naar de Dansmeester was.

Blue lacht zachtjes.

'Misschien heb je pech dat Rif – is het je broer? Je vriend? – zo goed is. We hebben alleen op de muziek gelet.'

'Mijn neef,' zegt Ruth. 'En het was mijn idee!' De teleurstelling zit als een dik brok in de weg in haar keel.

Opeens krijgt ze een inval. Het kán nog!

'Dus als ik die clip online zet, maak ik nog een kans?'

Blue bijt op haar lip en laat haar hoofd wiebelen.

'Wat spijtig nou! Daarvoor is het nu te laat.'

'Waarom?!' roept Ruth uit.

Blue knijpt zachtjes in haar handen.

'Het spijt me vreselijk, meisje. Maar de Beweging heeft de rechten op de muziek gekocht. Die mogen jullie nu niet meer zomaar openbaar maken, zie je.'

Dat kan niet waar zijn, denkt Ruth. Ze kijkt op. Blue heeft heel lichtblauwe ogen, zwart omlijnd. Ook haar mascara is pikzwart. Haar hartvormige mond staat een beetje open. Ze ziet eruit als een pop. Maar Ruth heeft het gevoel dat je geen ruzie met haar moet krijgen.

'Het is toch hun nummer? Mogen ze dan ook niet meer optreden?'

'Dat wel natuurlijk, dat is promotie. Luister eens...' Blue

dempt haar stem. 'Even iets anders. Heb jij wel eens een berichtje gekregen van iemand die de Dansmeester probeert zwart te maken?'

Barrel! denkt Ruth.

'Hoezo?' vraagt ze voorzichtig.

'Tja, iemand is bezig een haatcampagne tegen ons te voeren. De Dansmeester zit daar echt ontzettend mee. Hij wil niets anders dan kinderen warm maken voor dans. En nu zit er iemand te stoken!'

'Gemeen!' zegt Ruth. 'Waarom doet hij dat?'

Blue richt haar blauwe schijnwerpers op Ruths gezicht. 'Geen idee. Wie kan er nu iets tegen de Dansmeester hebben, hè?' Ze laat Ruths handen los – ze wil weggaan.

Ruth haalt diep adem. 'Eh... Blue?' Ze wijst naar de lift. 'Kan ik echt niet even...? Ik hoor ook bij Fireball.'

Daar moet Blue alleen maar om lachen. Ze trekt Ruth even plagend aan haar oor.

'Dus...?' stamelt Ruth.

Blue bijt op een hoekje van haar onderlip, trekt een droevig gezicht en knikt.

'Ik vind het echt jammer voor je. Maar weet je, de Dansmeester heeft vandaag met zijn mensen keihard gewerkt om een leuke choreo bij dat nummer te maken. Dat is gelukt. Je zult het echt een superfilmpje vinden. Het komt binnenkort op de site. Dan krijg je alles te zien.'

Ruth laat nu ook haar hoofd zakken. Rif en Fireball hebben van haar idee geprofiteerd. Maar zij moet helemaal opnieuw beginnen.

'Doei!' roept iemand die voorbij de balie loopt. 'Tot vrijdag!' Hij is de draaideur al door als Ruth zijn manier van bewegen herkent. De Dansmeester! Ze wil zich losrukken, erachteraan gaan. Maar Blue pakt haar opnieuw beet.

'Niet doen,' zegt ze zachtjes. 'Gun hem een eigen leven. Hier en online is hij de Dansmeester. Daarbuiten is hij vrij.'

Het klinkt aardig en redelijk. Ruth laat haar schouders zakken.

Oké. Dus ze is nu ook haar enige kans om de Dansmeester in de ogen te kijken misgelopen.

'Tof van je.' Blue doet of Ruth een keus had. 'Ik zal de Dansmeester zeggen dat er tenminste nog één kind is dat zijn privacy respecteert.' Ze lacht lief. 'Oké. Je mag hier wel even op je neef wachten. Daar is water als je dorst hebt. We zijn heel blij met Bewegers zoals jij, echt waar. Online ben je meer dan welkom; ik kijk uit naar je eerste clip. Maar hier moet je niet meer komen – hier wordt gewerkt. Afgesproken?'

Ruth knikt. Wat kan ze anders doen?

'Tess, zorg jij voor haar?' Blue loopt weg en gaat het detectiepoortje door.

Ruth begrijpt wat ze bedoelt: hou haar in de gaten. En ze kan Blue niet eens ongelijk geven: natuurlijk kunnen ze niet zomaar iedereen binnen laten bij de BWGNG.

De lift die Blue terug naar boven moet brengen gaat open. Rif, Jim, Vigo, Job en Mariska, plus twee gitaren persen zich naar buiten. Het is Mariska die Ruth het eerst in het oog krijgt.

'Toch nog!' roept ze. 'Jammer dat je te laat bent.'

'Jammer dat je niet mocht dansen,' zegt Ruth.

Mariska trekt een grimas. Maar dan slingert ze zich om Rif heen en lacht lief naar boven. 'Ik kwam toch vooral voor hem.'

Ruth denkt aan het paarse glitterpak in Mariska's gymtas. Maar ze zegt niets. Wat heeft het voor zin?

In de trein terug zijn de jongens luidruchtig. Door elkaar heen en boven elkaar uit scheppen ze op over hun eigen prestaties. Stuk voor stuk beweren ze dat de producent hen 'de belofte van de eeuw' of 'een supertalent' heeft genoemd. Zelfs Jim, die alleen een ritmebox heeft mogen bedienen, praat alleen maar over zichzelf. Hij kijkt niet één keer haar kant uit. Opeens telt ze niet meer mee... Ruth trekt zich terug in een hoekje. Ze stuurt een berichtje aan Emma en Pinky.

'Het is niet doorgegaan. Balen.'

Ze hoeven niet te weten dat het voelt alsof haar leven is afgelopen.

'Hoe was hij?' Pinky zit op het voeteneinde van haar bed. Ruth is na het eten gewoon naar Pinky gegaan; bij Rif thuis hoeven kinderen geen toestemming te vragen.

'Je hebt hem toch gezien? Hoe ziet hij eruit? Te groot voor mij? Jojo zegt dat hij heel lang is. Ze kent iemand die hem in het echt heeft gezien.'

'Ik heb hem dus ook in het echt gezien,' zegt Ruth. Wat zeurt Pinky nou over die Jojo!

Pinky wendt haar blik af. Ruth is weer eens te kattig geweest.

'Oké, nou... Hij is niet zo groot. Wel stevig. Een beetje zoals Jim.'

'Jim, Jim, Jim,' zegt Pinky. 'Je doet nooit meer wat met mij.'

Ruth zwijgt verbluft. Is dat zo?

'Nou, vertel! Heeft hij mooie ogen? Hoe kijkt hij?'

Ruth spreidt haar handen. 'Ik geloof dat hij een zonnebril op had.' Ze weet het niet eens zeker meer. 'Maar hij loopt mooi. Geen beweging te veel.'

Pinky zucht. 'Was ik maar meegegaan.'

'Je hebt niks gemist, hoor.' Het doet Ruth goed om Pinky te troosten. 'En die clip hebben we helemaal voor niks gemaakt.'

'Hoe vindt die Mariska dat?'

Ruth lacht. 'Die doet of het haar niks kan schelen.'

'Maar zij heeft met hem gepraat!'

'Tja. Ze hebben allemaal met hem gepraat, allemaal behalve ik. Even maar, hoor. Want de Dansmeester was in een andere studio met zijn dansers bezig.'

'Kinderen?' vraagt Pinky met grote ogen.

Wat is ze eigenlijk nog een kind. En veel braver dan Emma.

'Nee. De Beweging werkt met beroepsdansers. Er worden

bijna nooit filmpjes met kinderen gemaakt. Dat vertelde Blue me.' Ruth merkt dat ze intussen toch veel meer weet dan die ochtend.

'Blue? Wie is dat?'

'Ze is heel mooi,' zegt Ruth. 'Heel klein en tenger, met lichtblauwe ogen. En ze is ook heel aardig. Ze heeft me van alles uitgelegd.'

'Wat dan?'

'Nou, bijvoorbeeld dat de Dansmeester alleen met je werkt als je heel veel talent hebt.'

'En niet met jou dus.' Pinky zucht. 'Balen, zeg. Nou ja, je mag toch niet. Hoe is het met je moeder?'

'Ik mis je,' zegt Ruth.

Pinky rolt met haar ogen. 'En je moeder?'

'Slaapt alleen maar.'

'Dus ze weet van niks. Ga je het haar vertellen?'

'Nee,' zegt Ruth.

'Pas als je beroemd bent?' Pinky grinnikt. Ze zijn toch eigenlijk best goeie vriendinnen.

'Inderdaad,' zegt Ruth.

'Dus nou hoef je alleen maar even stiekem beroemd te worden.'

Ruth lacht. Maar ze voelt wat Pinky bedoelt, en dat is niet om te lachen: stiekem beroemd worden is een hele klus.

'Is er iets met mijn ogen,' vraagt Stoop met een frons, 'of zie ik steeds meer kinderen met paarse T-shirts rondlopen?' Hij kijkt de klas rond.

Niemand zegt iets. Leraren hoeven er nog niets van te weten. Vrijdagavond is vroeg genoeg: dan komt de BWGNG met een knal uit de kast.

De muziekleraar heeft wel gelijk. Zeker de helft van de onderbouw is nu lid van de BWGNG. Ook sommige oudere leerlingen doen mee. Iedere dag lopen er meer kinderen in het paars; de rijkere kinderen dragen de officiële shirts van de BWGNG. Ruth heeft haar spaargeld aangesproken om een petje te bestellen; voor een shirt heeft ze niet genoeg. Het petje is gisteren gekomen, maar ze bewaart het voor de dance mob, dan is de verrassing groter. Eigenlijk jammer dat andere kinderen nu al tonen dat ze BWGR's zijn.

'Wat betekent die afkorting? Is het geheim? Een ondergrondse beweging?'

Ruth schrikt even; ze heeft 'Beweging' verstaan.

Maar Stoop gaat door: 'Georganiseerd verzet? Een revolutie in de maak? Wijd me in. Jullie geheim is veilig bij mij, ik zweer het. Kom op, vertel.'

'Dat zou u wel willen!' Ruth heeft zonder nadenken gereageerd.

'Ah! Dus onze stuiterbal heeft er ook mee te maken?' Stoop kijkt haar vragend aan. 'Dan zal het wel geen zitclubje zijn.' Hij bestudeert de kinderen die paars dragen een voor een.

'Ella... Noor... Mariska... Wesley... Martin... Yeliz nota bene... Derek... Jij niet?' vraagt hij aan Barrel.

'Ik niet,' zegt Barrel rustig.

'Commentaar?'

'Ik niet,' zegt Barrel. 'Je houdt het toch niet tegen.'

'Ah!' zegt Stoop weer. Het klinkt of hij er nu alles van begrijpt.

Barrel grinnikt even.

'Goed, dan gaan we maar over tot de orde van de dag. Jullie weten dat vrijdag de schoolavond is. Er treedt een bandje op...'

'Fireball,' zegt Ruth.

Stoop kijkt haar verbaasd aan.

'Heten ze zo? Wat gek; ik dacht dat dat iets van ouwe lullen was. Deep Purple-fans zoals ik.' Hij schudt verwonderd zijn hoofd. 'Afijn, dus we hebben een band...'

'En wij dansen erbij,' flapt Mariska eruit. Ze krijgt een kwaaie mep van Noor, maar wel onder tafel. 'Op het podium,' voegt Mariska er snel aan toe.

'Zo,' zegt Stoop ongeïnteresseerd. 'Mooi. Verder hebben we een cabaret van vijfdeklassers en een lollig liedje van de docenten.' Hij maakt een grappig bedoeld buiginkje. 'Maar ik werd vanochtend wakker met het idee dat we ook iets aan improvisatie moeten doen. Een jamsessie. Wie van jullie speelt wat?' Hij heeft het al eerder gevraagd en kijkt in zijn agenda. 'Juist. Noor speelt harp; daar kunnen we misschien iets mee...'

Jeek staat op. Hij doet zijn handen voor zijn mond en begint luid: 'Tsjikketsjik ieh! Tsjikketsjik oemp, kokketoe oemp, kokkok tss tss, tsjikketie ieh! Tsjik tsjik oemp tsjik oemp!'

Stoop springt van de tafel waarop hij zit. 'Oké Jeek! Dat is het! Sorry, Noor, vergeet die harp. We gaan beatboxen. Dat wordt tenminste een optreden met een beetje spirit. Wie doet er mee?'

Er gaan maar een paar vingers omhoog. Niemand met een paars shirt meldt zich aan. Logisch; zij moeten in de zaal zitten voor de dance mob. Het terreintje tussen de garages stond gisteren zo vol dat ze amper ruimte hadden om te oefenen.

'Vreemd,' zegt Stoop. 'Wesley niet, Martin niet... Niemand met een paars t-shirt aan! De geheime club doet dus niet mee. Sorry jongens, maar dit vind ik eerlijk gezegd verdacht. Wat zit hierachter?'

De klas blijft doodstil. Ook Jeek, die een beetje stom staat

80

te grijnzen. Hoort hij bij hen? Ruth weet het niet. Er zijn de laatste tijd zoveel nieuwe BWGR's bij gekomen.

Stoop gaat weer zitten, deze keer achter zijn bureau. Dat is geen goed teken. Daar zit hij meestal alleen om huiswerk op te geven of iemands naam op te schrijven.

'Of moet ik vragen: wie zit hierachter?'

Hij begint op zijn laptop te rammelen. Ruth heeft het griezelige gevoel dat ze hoort wat Stoop doet: hij tikt 'BWGNG' in het zoekvenster. En ze weet niet waarom, maar ze wil niet dat Stoop op de site van de BWGNG komt.

Ze staat op.

'Oké. Jongens, laten we Dope Stoop in het geheim?' vraagt ze luid. Ze klimt op tafel. 'Muziek, Jeek.' Ze knipt met haar vingers alsof ze de leiding heeft.

Tot haar genoegen begrijpt Jeek wat ze wil; hij begint meteen weer te beatboxen. Derek doet mee, ook al heeft hij er niet echt talent voor. Ruths voeten beginnen vanzelf te bewegen, dat heeft ze nu eenmaal als ze muziek hoort. Ze probeert een van Bo's kronkels uit, maar het lukt niet, daarom houdt ze het maar bij de Dope-Stoop-Move.

'Dope Stoop?' vraagt de leraar beledigd. Hij heeft niet door dat de bijnaam als compliment is bedoeld. Maar dat doet er niet toe: hij is tenminste afgeleid.

Mariska staat al overeind. Ze sleept Noor mee naar het bord. Ze volgen Ruths moves niet, dus volgt zij maar die van hen. En alle BWGR's van de klas doen mee. Het duurt wel vier of vijf minuten. Stoop zit met een vage glimlach naar hen te kijken. Maar als Jeek een hoestbui krijgt, maakt hij er een eind aan.

'Oké, allemaal weer op je gat en klep dicht.' Het duurt even, maar dan wordt het stil in de klas. 'Dus dit is het geheim?' vraagt Stoop. 'Hoezo dan? Ruth Abel?'

'We dóén al wat op de schoolavond,' zegt Ruth. 'Maar vertel het alstublieft niet verder! Het is echt toptoptop secret!'

'O,' zegt Stoop. 'Wat jammer. Ik dacht echt even dat er revolutie dreigde. Maar dat is geloof ik ook iets van ouwe lullen.' Hij zucht. 'Nou, dan gaan we maar gewoon verder met de volgende luisteropdracht. Jullie verdienen mij niet, hoor. Pak je werkboek maar.'

Er wordt verontwaardigd geloeid, maar Stoop verandert op slag in de eerste de beste saaie leraar.

Ruth zit haar invullesje te maken als ze merkt dat hij Barrel bij zich heeft geroepen. Ze zit op de tweede rij; ze praten gedempt en Ruth kan het maar net horen.

'... wil mijn vrouw vanavond absoluut weten. Wat is er gaande? Toch niet alleen dat optreden?'

Ruth spant zich in om het te verstaan. Zou Barrel hen verraden?

'Mompelmompel echt belangrijks. Maar mompel vertellen mompel mij ook niet.'

Stoop is beter te verstaan. 'Word je erbuiten gehouden?'

'Nou, niet echt, maar mompelmompel.'

'Dus ze houden je er wél buiten.'

'Mompelmompel ook helemaal niet, ze bekijken het mompelmompel.'

Ruth kijkt even op en ziet dat Stoops wenkbrauwen elkaar raken.

'Dit doet me ergens aan denken...' bromt hij. Maar hij stuurt Barrel terug naar zijn plaats. Ruth kijkt Barrel dreigend aan, en die haalt zijn schouders even op. Maar hij slaat zijn blik niet neer en Ruth heeft niet het idee dat hij Stoop echt iets heeft verteld.

Na de les haalt ze hem in.

'Wacht even, zitzak.' Ze grijpt hem bij zijn arm, die niet zo spekkig aanvoelt als ze heeft verwacht; eerder stevig. 'Wat had jij met Stoop?'

'Niks. Hij wou weten of er iets was, met dat optreden. Ik heb gezegd dat ik er niks van wist. Dat is trouwens ook zo.'

Ruth denkt na. Dat kán kloppen met wat zij heeft gehoord.

'Waarom?'

'Waarom wat?'

Ze moet flink doorlopen om hem bij te houden. 'Waarom heb je niks over de Beweging gezegd? Jij bent er toch tegen?'

'Jij weet niks van mij,' zegt Barrel. 'Alleen omdat ik niet als een dwaas mijn geld loop weg te gooien aan lelijke shirtjes, denk jij...' Hij slikt de rest van zijn zin in en haalt zijn schouders op. Dan slaat hij abrupt af naar de jongens-wc.

Ruth blijft staan. Hij is een rare, die Barrel. Is hij nou vóór of tegen de BWGNG? Het geeft haar een onrustig gevoel dat ze hem niet begrijpt.

'Hé Ruth! Straks weer oefenen?' Het is een tweedeklasser die dat vraagt. Ruth doet de Dope-Stoop-Move ten antwoord, en de jongen begrijpt het nog ook.

Mariska is het middelpunt van een groepje BWGR's op het schoolplein. Ze houdt haar hand boven de hoofden en maakt er balletbewegingen mee.

'Met deze hand...!' Haar stem is hoger dan normaal. 'Met deze hand heb ik de Dansmeester aangeraakt! Hij vroeg mijn náám. "Echt fijn om je bij de Beweging te hebben", zei hij. En hij méénde het!'

Ruth blijft er even bij staan. Ze kijkt naar de bewonderende gezichten van Ella, Noor en Yeliz. Ja, dit was te verwachten. Mariska is weer helemaal het middelpunt. Ze geniet!

Jaloezie vlamt even in Ruth op. Maar dan denkt ze: zou ik zelf zo anders reageren? Nee, als zij zelf de Dansmeester had gesproken, was ze meteen naar Pinky gerend om erover op te scheppen – ook al zou ze Pinky daarmee pijn hebben gedaan. Misschien had ze zich op het schoolplein dan wel net zo erg aangesteld als Mariska.

'Niet goed in haar hoofd,' zegt Vinnie, die naast haar opduikt. Hij trekt een varkensgezicht. 'Jullie laten je allemaal gek maken.'

'Hou je kop, loser,' zegt Ruth, opeens kwaad. 'Dat jíj nou niet mee kunt komen!'

Maar als Mariska kraait: 'En ik zag duidelijk dat de Dansmeester mij leuk vond!' loopt Ruth zelf ook door.

Bo is niet op het plaatsje tussen de garages.

'Iets met Vinnie,' zegt Emma. 'Zijn moeder belde mijn moeder en toen mocht Bo niet weg. Dus nou moet jij de leiding maar nemen.'

Mariska is er ook niet; die zit weer eens bij Rif. Hoeft zij soms niet te oefenen? Ruth voelt zich een beetje buitengesloten; ze ziet haar neef niet veel, ook al slaapt ze in hetzelfde huis. Menno en Tamara zijn met hun eigen dingen bezig en Mark moet non-stop werken. Het is net of Ruth geen huis meer heeft. Het is maar goed dat ze zo veel moeten oefenen, dan merkt ze het niet zo. Tussen de andere BWGR's voelt ze zich thuis.

Er valt niet veel te leiden. Iedereen kent de choreografie zo langzamerhand. De passen lijken op de dans die ze voor het clipje hebben geoefend, met een paar aanpassingen omdat ze tussen de rijen stoelen moeten dansen.

'Wie neemt het eigenlijk op?' vraagt Jeek.

Ruth kijkt hem aan.

'Ja, we moeten toch een filmpje maken, voor op de site? Dat kan niet met een gewone telefoon, niet in het donker.'

'Derek zorgt dat het zaallicht aangaat,' zegt Emma.

Jeek schudt zijn hoofd. 'Dan nog. Veel te weinig pixels. Het moet wel een beetje strak worden.'

'Mijn oom heeft een professionele camera...' zegt Ruth aarzelend. Maar als Menno het weet, praat hij er natuurlijk met Mark over. Ze moet een list bedenken.

'Mooi, dan is dat geregeld,' zegt Derek. Ruth kijkt hem verbaasd aan. Hangt grijze-sokken-Brintapap-novemberregen-Derek nou opeens de baas uit?

'Vraag of hij hem meeneemt en alles filmt, dan komt het vanzelf goed,' besluit Derek. De BWGNG heeft hem wel erg veel zelfvertrouwen gegeven!

Ruth denkt dat het nog niet zo makkelijk zal zijn om Menno naar de schoolavond te krijgen. Dat soort dingen laat hij meestal aan Tamara over. Misschien kan Ruth het via Rif spelen. Die vindt het vast fijn als het optreden van Fireball wordt opgenomen.

Terwijl de anderen doorgaan met oefenen, probeert ze contact met hem te krijgen. De schoolavond is morgen al.

Het is Jim die opneemt.

'Ben jij het, garnaal?' Ruth vindt het niet leuk dat hij haar zo noemt. Maar Rif heeft haar zo in zijn telefoon staan. 'Het komt nu even niet uit, we zijn aan het repeteren.'

Afgepoeierd! Een week geleden zou hij nog heel anders tegen haar hebben gedaan.

'Dan kom ik zo wel die kant op.' Het komt er pieperig uit.

'Beter van niet,' zegt Jim.

Hoe kwam ze er ook bij om te denken dat hij haar leuk vond! Natuurlijk niet! Hij is bijna drie jaar ouder! Hij kan drummen en kungfu en dansen als een vuurbal. Nog even en hij is een BN'er! Dus wat dacht een garnaal als zij te bereiken?

'En nog wat: Rif vindt het eigenlijk helemaal geen goed plan, die dance mob van jullie.'

'Wat!' roept Ruth uit. Wanneer is dat gebeurd? Ze hoort het haar neef nog zeggen: *Dan kunnen ze echt niet meer om ons heen...* Is de sterrenstatus hem in zijn bol geslagen?

'Hij vindt dat het de aandacht afleidt van eh... nou ja, van ons. Van Fireball dus.' Jim schraapt zijn keel alsof hij zich schaamt.

Ruth rent al. Ze wuift naar Emma: 'Ga maar gewoon door, ik ben zo terug!' Ze heeft haar fiets niet bij zich en is buiten adem als ze bij Rif door de achterdeur valt. Ze wordt opgevangen door Jim. Uit de garage komt het geluid van Rifs gitaar.

'Dat dacht ik wel,' zegt Jim. 'Maar het kan nu echt niet. We móéten oefenen.'

'En wij oefenen ook al dagen! Het gaat door, hoor, natuurlijk gaat het door!'

'Sorry.' Jim schudt zijn hoofd. 'Het is echt hartstikke leuk, zo'n flash mob, goed idee en zo, maar niet tijdens ons optreden. We krijgen nou een clip – dit kan onze doorbraak zijn. Dat wil Rif niet in gevaar brengen door een amateuristisch dansje.'

'Hij kan ons écht niet tegenhouden!' roept Ruth. 'Rif is mijn baas niet!'

'Mariska is er ook tegen,' zegt Jim. Hij trekt met zijn mond. 'Mariska heeft al een paar meisjes gezegd dat het niet door kan gaan.'

Dat is waar, er waren minder meisjes vandaag op het pleintje. Ruth is razend! Dus Mariska zit hierachter! En zij boycot het plan alleen maar omdat Ruth de leiding heeft.

'Zij gaat op het podium dansen,' zegt Jim. 'Veel beter idee, zegt Rif. Omdat zij ook in de clip danst en zo. Goede promotie.'

Ruth kijkt hem sprakeloos aan. Wordt zij er nu buiten gehouden? Alles was háár idee! Zonder haar zou Mariska niet eens van de BWGNG geweten hebben. Zonder haar was er geen demo naar de Dansmeester gegaan. Zonder haar zou Rif nog steeds de leider zijn van een volkomen onbekend garagebandje.

'Sorry,' zegt Jim weer. 'Maar dan doe je die flash mob toch gewoon in het winkelcentrum? Zien ook meer mensen hem.'

Ruth weet niets terug te zeggen. Laat Jim haar nu ook vallen? Of durft hij niet tegen Rif in te gaan? Waar is de Kungfu Panda als je hem nodig hebt?! Ze zegt het hardop.

Jim trekt een paar gekke gezichten achter elkaar. 'Ja, nou, eh... Ik ga weer, oké? Ze kunnen niet zonder mij.' Hij pakt een fles fris uit de ijskast en verdwijnt door de tussendeur naar de garage.

Ruth staart hem na. Dit kan niet waar zijn. Terwijl zij oefenen, heeft Mariska Rif tegen haar opgezet. En nu denkt Rif dat hij haar kan verbieden te dansen. Hij ook al!

Maar hij bekijkt het maar. Niemand houdt haar tegen, niemand. Ze zúllen hun act opvoeren! Op de schoolavond, Rif of geen Rif. Iemand zál het opnemen en als Mark het filmpje ziet, zullen ze het weten: Ruth is gemaakt om te dansen. Zelfs haar moeder zal dat moeten toegeven.

Aan Jim wil ze niet denken. Ze was toch zeker niet verliefd op hem! Op die Kungfu Panda zeker! Die haar laat vallen zodra hij haar niet meer nodig heeft!

In gedachten loopt ze naar haar eigen huis. Door het raam ziet ze Mark al zitten; zoals gewoonlijk zit hij achter zijn werktafel in de woonkamer.

'Mark?'

Hij komt half overeind en draait zich om. 'Ik schrik me een ongeluk! Wat doe jij nou zo opeens hier!' Maar hij trekt haar naar zich toe en woelt door haar haren. 'Kom jij een ouwe man troosten in zijn eenzaamheid?' Hij ruikt naar pizza en bier.

Ruth rolt met haar ogen. 'Wil jij vragen of we Menno's camera mogen lenen? Het is voor de schoolavond. Rif treedt op en...' Ze stuntelt verder, maar hij onderbreekt haar.

'Hoor eens. Gaat dit over die Beweging? Menno heeft me uit de droom geholpen over dat filmpje van Fireball. Dat was helemaal niet voor die schoolavond. Jullie hebben het speciaal voor die Dansmeester gemaakt! En Rif heeft Menno's handtekening vervalst. Menno zegt dat Rif nu alle rechten kwijt is. Dat is echt een hele foute club hoor!'

'Niet waar!' zegt Ruth wanhopig. 'Jij zoekt overal wat achter. Het gaat er gewoon om dat kinderen meer bewegen. Omdat het allemaal van die zitzakken zijn. Die allemaal achter de computer hangen. Net als... net als jij!'

Mark schudt zijn hoofd. 'Leuk geprobeerd. Maar ik laat me niet opfokken door jou.'

Ruth laat haar hoofd hangen. Er vallen twee tranen op de vloer. Ze veegt ze uit met haar voet. Mark pakt haar hand.

'Ik wil je toch alleen beschermen. De grotemensenwereld is hard, hoor. Hard en gemeen.'

Ruth knikt. Hij zegt het maar. Ze heeft geen weerstand meer.

'Maar papa...' Zo noemt ze hem haast nooit.

'Wat?' Zijn stem klinkt nu lief. Beschermend. Een grote sterke papabeer die nooit boos op haar wordt.

'We zijn met een heleboel. We hebben geoefend... een dansje. Bijna alle kinderen uit mijn klas, en nog een paar uit de tweede ook. We gaan het morgen opvoeren als Fireball speelt. Dus...'

Mark gaat met een ruk rechtop zitten.

'Een dansje? En daar doe jij aan mee?'

Ruth probeert niet te knikken, maar ze doet het toch. Ze kijkt hem aan. Niet bang, niet brutaal, maar gewoon om te zien wat hij denkt.

Marks gezicht betrekt. Hij laat haar los. 'Dus nu Roelie in het ziekenhuis ligt...' Uit het niets ontploft hij. 'Wat ben jij er voor eentje! Je had het haar beloofd! Je had Roelie beloofd dat je ermee zou kappen! Nee, dat kan ik niet geloven. Zo ben jij niet! Je bent níét achter haar rug doorgegaan met dansen! Zo achterbaks kun jij niet zijn!' Hij barst in onbegrijpelijke vloeken uit. 'En dát is een dochter van mij?!'

Ruth staart weer naar de grond. Weg is de grote sterke papabeer die door dik en dun van haar houdt.

'Oké,' zegt Mark eindelijk. Hij haalt diep adem. 'Ik doe normaal.' Hij probeert te lachen. 'Je snapt toch wel dat Roelie het voor jouw bestwil zegt? Ze begrijpt jou heus wel, hoor, maar ze wil niet dat jij... net als zijzelf...'

'Roelie weet niks van dansen!' stuift Ruth op. 'En van mij snapt ze helemaal geen moer!' Tranen spatten uit haar ogen – van boosheid.

'Dat denk je maar!' Mark pakt haar pols.

Ruth rukt zich los. Tot haar verbazing ziet Mark er even uit alsof ze hem gebeten heeft. Hij draait zich zwijgend om naar zijn eeuwige scherm. Nou, hij doet maar. Ruth wil de kamer uit gaan.

'Luister,' zegt Mark dan opeens. Ruth ziet alleen zijn rug. 'Je zegt dat Roelie jou niet snapt. Maar waar denk jij dat je dat danstalent van hebt? Het zit in je genen. Je hebt het geërfd.'

'Van Róélie?' Ruth is geschokt. Ze kan zich haar moeder niet dansend voorstellen.

Mark knikt zonder om te kijken. 'Ze was behoorlijk goed. En fanatiek; ze zat in een showdansgroep. Achteraf... achteraf denken we dat het... Het kan te zwaar zijn geweest. Het kan gemaakt hebben dat ze eerder ziek werd.'

Ruth staat verlamd van schrik. Ze denkt niet aan Roelie. Ze denkt aan een trillend spiertje in haar duim. Bij haar pols. Aan het lamme gevoel in haar handen en voeten, aan een ruggengraat van gel. Hebben Mark en Roelie gelijk? Heeft ze te veel gedanst?

Nee! Dansen is gezónd!

Maar praten kan ze niet.

'Misschien zit het allemaal anders,' zegt Mark. 'Maar Roelie wil voor geen prijs dat jou hetzelfde overkomt. Sorry, Ruth.' Hij draait zich weer om. 'Dus. Dit gaan we doen: ik beloof jou dat ik hier niks van vertel aan Roelie – die moet eerst eens even goed op krachten komen. En jij belooft mij dat je morgenavond thuisblijft.'

'Maar...' Haar stem is nog schor.

'Niks mee te maken. Het is uit met dat dansen totdat Roelie en ik daar een beslissing over hebben genomen. En jij wacht dat rustig af.'

Ruths verdriet is over. Ze is nu alleen nog maar boos.

'Maar ik mag toch wel gaan kijken? Gewoon in de zaal zitten en kijken?' Dan is ze er tenminste bij als op hun school de BWGNG opstaat.

'Niks ervan.'

'Maar het is de schóólavond! Daar mag ik toch zeker wel heen! Iedereen is er!'

'Voorlopig mag jij even helemaal niks,' zegt Mark. 'Ik moet jou eerst weer leren vertrouwen.'

Ruth vindt een halve koude pizza in de keuken; ze schrokt hem naar binnen. Ze gaat niet terug naar Rif, die verrader! Ze gaat vanavond lekker in haar eigen bed slapen, met haar eigen geur in de lakens...

Ze haalt trillend adem. En morgen gaat ze tóch. Ze heeft niks beloofd.

Het bed is afgehaald. Ruth kleedt zich uit en gaat op het kale matras liggen, onder het glijerige dekbed. Ze klemt haar oude knuffel onder haar ene arm; in de andere hand heeft ze haar telefoon. Ze belt Pinky. Er wordt niet opgenomen. Ruth wil haar telefoon in de hoek gooien, maar ze bedenkt zich en gaat naar de site van de BWGNG. Ze stuurt haar beste vriendin een persoonlijk bericht: 'Bel me snel!'

In de Battle heeft ze geen zin, dan moet ze haar computer opstarten en voor ze het weet heeft ze weer mot met Mark – weet hij wel dat ze boven is? Ze checkt het forum van de BWGNG en klikt door de pagina's. Niemand van haar vrienden lijkt online te zijn. Er is maar één recent bericht gepost: van Barrel.

'Check NU de docu over de BWGNG! Echt doen!!!'

Die documentaire interesseert Ruth niet, maar ze voelt zich zo ellendig dat ze dan maar iets aan Barrel stuurt. 'Ben jij online?'

'Yep.'

'Dus jij bent nu ook een BWGR???'

'Wat boeit jou dat? Sinds wanneer praat je met een ZITZAK?'

'Oké, sorry. Ik bedoelde het niet zo. Gewoon omdat je nou niet echt van sport houdt en zo.'

'Geeft het een kick om anderen buiten te sluiten?'

Ruth geeft geen antwoord. Dat doet ze toch helemaal niet!

'Er zijn ook kinderen die niet kunnen dansen, hoor. Die een ziekte hebben of zo.'

'Jij bent niet ziek!' En ik ook niet, denkt ze – maar het is een angstige gedachte.

'Het is achterlijk om zomaar slaafs te doen wat iedereen doet. Moet ik dan maar achter de kudde aanhobbelen? Dat noem ik nou ziek!'

Ruth heeft geen zin meer in dit gesprek. En ze heeft er een lamme arm van gekregen ook. Ze logt uit zonder afscheid te nemen. Barrel kan kletsen wat hij wil, een zitzak blijft hij.

Ze legt haar telefoon onder het kussen, stopt haar hoofd onder de deken en probeert aan iets leuks te denken.

Aan een workshop met de Dansmeester...

Aan de dance mob...

Aan haar nieuwe vriendin Emma...

Het helpt niet. Telkens komen Barrels woorden erdoorheen: *Er zijn ook kinderen die een ziekte hebben...* Waarom belt Pinky nou niet?

De volgende ochtend neemt Emma haar apart in de pauze. 'Waar bleef je nou? Ik heb nog uren op je staan wachten!'

'Sorry. Noodgeval.'

Emma kijkt gekwetst. Denkt ze dat Ruth liegt? Pinky zou het wél begrijpen...

'Je hebt me gewoon laten staan!'

'Per ongeluk,' zucht Ruth. 'Ik kreeg mot met mijn vader.'

Emma blijft wantrouwig kijken. Nee, echt vriendinnen zijn ze nog niet, denkt Ruth. Dan bedenkt ze dat Emma nog niet eens weet dat Rif de dance mob tegen wil houden. Ruth bijt op haar lip. En als ze nou eens niks zegt tegen Emma en Bo? Rif is de baas niet! En Mariska zoekt het zelf maar uit... Ze doen het gewoon toch – wie houdt hen tegen?

'Wat is er dan?'

'Ik wou een camera lenen. Maar mijn vader is tegen. Ik mag vanavond niet eens naar de schoolavond!'

Emma staart haar aan. 'Je mág niet?'

Ongelukkig schudt Ruth haar hoofd.

'Waarom niet? Iederéén komt. Ouders ook!'

'Dat zei ik ook. Maar ik heb straf.'

'Waarom?' Emma klinkt stomverbaasd. Zou zij nooit straf krijgen?

'Omdat ik dans.'

'Omdat je dánst?!'

Ruth knikt maar. Hoe moet ze dit nu uitleggen? Dat haar moeder denkt dat ze ziek kan worden als ze danst? Dat is zó onzinnig dat Emma het niet eens zou geloven.

'Daar heb ik nog nooit van gehoord,' zegt Emma. 'Dansen is goed voor je, dat zegt de Dansmeester zo vaak. Mijn ouders zijn juist blij dat Bo en ik bij de Beweging zijn! Ze zullen zó opkijken vanavond!'

Gelukkig gaat de bel. Emma moet de trap op en Ruth loopt

snel de gang in naar de Berlagetoren, waar ze handvaardigheid heeft. Het valt haar op dat vandaag niemand een paars shirtje aan heeft. Des te groter zal de verrassing vanavond zijn... Kon ze maar een manier bedenken om toch mee te doen!

In de verte ziet ze Rif staan voor de ingang van het dramalokaal. Jim is er ook, en Vigo en Job. Zou de band nog een keer mogen repeteren? Vandaag staat alles in het teken van de schoolavond. Rif kijkt haar kant uit. Ruth wil het liefste wegduiken, maar om bij handvaardigheid te komen, moet ze de jongens van Fireball voorbij. Jim maakt zich los uit het groepje en maakt een kungfubeweging naar haar. Ze glimlacht, ook al is ze verre van vrolijk. Maar ze is toch blij dat hij haar opmerkt.

'Fawaka? Je ziet witjes, sarasara.'

Witjes, ja, zo voelt ze zich ook.

'Zeg! Wat is er mis?'

'Alles,' zucht Ruth.

'Wat dan?'

Jij bijvoorbeeld, denkt Ruth. Stomme Kungfu Panda die voor de grap met meisjes slijmt. En ze dan uitscheldt voor garnaal! Gelukkig kan je hart niet breken als je helemaal niet eens verliefd bent.

'Ben je boos op mij?'

Ja, denkt Ruth. Ze schudt haar hoofd.

'Wat is er dan mis?'

'Alles! Eerst gaan jullie zonder mij naar de Dansmeester. Dan willen jullie onze dance mob de grond in boren. En nou heb ik nog straf ook: huisarrest.'

'Klinkt niet goed,' zegt Jim. 'Kan je grote neef niks voor je doen? Hé, Rif!'

'Nee!' piept Ruth, maar Rif komt al naar hen toe.

'Hé, garnaal! Menno en Tamara zijn razend op je. Ze durfden Mark niet eens te bellen gisteravond. Tamara wilde je al als vermist opgeven!'

Ruth kijkt hem verbaasd aan. Geen moment aan gedacht.

'Je lag zeker gewoon in je eigen bed?'

Opeens voelt Ruth dat ze Rif in vertrouwen moet nemen. Hij durft tenminste tegen Menno in te gaan, en haar oom heeft invloed op Mark… Haastig legt ze uit dat ze niet naar de schoolavond mag, en dat haar ouders tegen de BWGNG zijn.

'Eeeh?!' roept Jim verbaasd uit. Job en Vigo komen er nu ook bij staan, nieuwsgierig.

'Het gaat om het dansen,' zegt Ruth verlegen. 'Dat vinden ze niet goed voor mij. Daarom wou ik… met die dance mob… Als ze zouden zien wat we doen…' Ze legt al haar kracht in haar blik en kijkt Rif aan.

'Die ogen,' zegt Jim. 'Daar zeg je toch geen nee tegen, brada.'

De tweede bel gaat. Ze stuiven allemaal naar hun klas; rondhangen op de gang betekent afval prikken na school.

Nu is er nog niets beslist…

Na de les kijkt Ruth bij het dramalokaal naar binnen. Rif en zijn vrienden zijn er niet meer. Stoop staat bij de tafel van Hijmans, zijn collega van drama.

'… allemaal in het paars,' hoort ze hem zeggen. 'En nou ben ik zo bang dat… Ken je *The Wave*?'

'Néé, hè!' Hijmans klinkt geschokt. 'Ik bedoel: ja, natuurlijk ken ik *The Wave*. Doodgriezelig! Zoiets krijgen we toch hopelijk niet hier op school? En wie zit daar dan achter?'

'Dat zou ik ook wel eens willen weten…' Stoop krijgt Ruth in het oog. 'Hé! Ruth Abel! Kom jij eens hier!'

Ruth denkt er niet aan.

'Sorry, ik heb les!' gilt ze, en ze rent de Berlagetoren uit. Hijgend zakt ze even later op haar plaats bij Terweijden. Het is het zesde uur… Tot hoe laat heeft Rif ook alweer les op vrijdag? Ze móét hem spreken. Thuis gaat het niet; Mark en Menno luisteren altijd mee. Ze durft haar oom trouwens niet eens onder ogen te komen. Stom, dat ze gisteren niks heeft laten horen.

De les gaat langs haar heen. De dance mob móét doorgaan, Rif móét haar helpen, Mark móét komen kijken, haar moeder móét het goedvinden dat ze bij de BWGNG blijft... En dan: meer moves. Een nieuw clipje. Een dansworkshop met de Dansmeester. Dansles. Roem. Geluk. Leven!

'Nee?' Opeens staat Terweijden naast haar. 'Geen idee waar ik het over heb, hè?'

'Sorry,' stamelt Ruth. 'Ik eh... ik zat even vooruit te lezen.' Ze kijkt naar haar tafel. Er ligt niet eens een boek op. Ze kijkt op naar het bord. Oké, ze zijn dus bezig met grammatica en er valt helemaal niets vooruit te lezen.

'Blijf jij maar even straks,' zegt Terweijden kortaf. 'Je bent er met je kop niet meer bij tegenwoordig.'

Nablijven. Ook dat nog: als Rif na dit uur vrij heeft – en dat hééft hij, weet ze opeens – is hij naar huis voordat Terweijden haar laat gaan. De jongens van Fireball zullen nog wel veel te doen hebben voor het optreden van die avond.

Ze voelt dat er iemand naar haar kijkt. Het is Mariska; ze lacht en duwt met haar vuist haar eigen kin omhoog. Kop op, bedoelt ze. Wil Mariska nu vrienden zijn of niet? Ruth haalt haar schouders op. Ze gaat zich daar niet druk over maken – het is al erg genoeg dat Mariska met Rif heeft.

Ze is weer weggedroomd; dat maakt nu toch niets meer uit, ze heeft al straf. Maar ze schrikt op als er opeens gevochten wordt. Anne heeft Jeek een klap gegeven. Ze krijgt een lel terug en gilt het uit. Ze stuift op en zit Jeek na door de klas. Die kleine Anne! Ze struikelt over een stoel, die met een klap omvalt. Jeek slaakt een kreet, de klas roezemoest. Anne begint te huilen.

'Eruit,' zegt Terweijden. 'Naar de rector, Jeek.'

Maar het is Anne die de klas uit loopt. Ze slaat woedend met de deur.

'Dan blijf jij maar hier,' zegt Terweijden tegen Jeek. 'Waar ging dat over?'

'Nergens over,' bromt Jeek. Hij heeft een kleur van opwinding. Hij loopt terug naar zijn plaats naast Marwan.

'Marwan?' vraagt Terweijden streng. 'Wat gebeurde daar?'

Marwan houdt zijn lippen stijf op elkaar.

'Mariska?'

Mariska schudt haar hoofd. Dat valt Ruth van haar mee. Maar Terweijden blijft haar strak aankijken en na een tijdje houdt Mariska het niet meer.

'Waarom moet u altijd mij hebben?' valt ze uit.

'Ik moet jou niet hebben. Maar je zit er vlak achter, je bent een getuige. Vertel nou maar gewoon wat er aan de hand was.'

'Het ging over de Beweging,' zegt Mariska.

De klas mort; er wordt 'Ssst!' geroepen.

'Wat is dat, de Beweging?' Ze kijkt naar Barrel. 'Is dat...?'

Opeens weet Ruth zeker dat Barrel over de BWGNG heeft gekletst tegen de leraren. Tegen Terweijden, tegen Stoop. En dan dat gestook op internet. Wat wil die jongen toch?! Waarom bemoeit hij zich niet met zijn eigen nerdy zaken?

'Gewoon een club,' zegt Ruth snel. 'Sommige kinderen horen erbij.'

'Aha,' zegt Terweijden. 'Zoiets meende ik al. Kan iedereen daar lid van zijn?'

'Zolang ze kunnen dansen,' zegt Mariska. 'Anne... heeft geen interesse.'

Nu wordt er gegniffeld. Iedereen weet hoe harkerig Anne is bij gym.

'Dat is niet aardig,' zegt Terweijden. 'Stil nu. En Jeek, jij meldt je ook bij de rector.'

'Maar Anne begon!' roept Jeek uit.

Terweijden kijkt hem alleen maar aan en Jeek gaat met hangende schouders de klas uit.

Terweijden gaat door met de les en schijnt niet in de gaten te hebben hoe opgelucht de leerlingen achter haar rug ademhalen. Dat is maar net goed gegaan!

Ruth wil na de bel de klas uit lopen, als Terweijden haar terugroept. O ja, nablijven.

Ze grijpt Mariska bij de arm.

'Zeg tegen Rif dat hij even op me wacht!'

'Rif is al naar huis. Repeteren met de band.'

Het steekt Ruth dat Mariska dat weet en zij niet.

'Blijf even hier wachten,' zegt Terweijden. Ze loopt de klas uit. Even later is ze terug, met Jeek én met Anne.

'En nu wil ik hier het fijne van weten,' zegt ze. 'Anne, jij eerst. Die club. Wat is dat?'

Ruth ziet dat Jeek dreigend naar Anne staart. Die kijkt naar de grond, maar ze moet het voelen, want ze zegt zachtjes: 'Weet ik niet.'

'Hoe word je daar lid van?'

'Weet ik niet.'

'Jeek?'

Jeek haalt zijn schouders op. Hij blijft onafgebroken naar Anne kijken. Ruth begrijpt het wel: hij heeft zijn straf natuurlijk al gekregen. Wat kan Terweijden verder nog doen? Jeek krijgt liever een preek dan dat hij de BWGNG verraadt.

'Wie hoort daar allemaal bij, bij die club?'

'Weet niet,' zegt Anne, en Jeek zegt: 'Iedereen.'

'Anne niet dus,' zegt Terweijden.

'Moet zij weten,' zegt Jeek.

'Anne?'

Anne durft niets meer te zeggen.

Van Hoessel zucht. Ineens kijkt ze op. 'Ruth! Weet jij hier iets van?'

'Waarvan?' vraagt Ruth onschuldig. Ze slaat gauw haar ogen neer.

'Ooo-keee,' zegt Terweijden langzaam. Ze weet duidelijk niet hoe ze verder moet. 'Jij gaat me dus ook niets wijzer maken. Goed, ik kom er op eigen houtje wel achter. Opkrassen nu jullie. Nee, Ruth, jij niet. Of wacht, ga ook eigenlijk maar.'

Ze smijt haar tas op tafel en begint haar spullen erin te prop-
pen. 'Stelletje apenkoppen!'

Dat is goed afgelopen! Ruth danst naar de deur, geeft Jeek
een por.

'Anne,' zegt Terweijden achter haar. 'Wat is er? Waarom
blijf je hier hangen?'

Ruth kijkt om. Ze ziet hoe Anne naar de grond staat te staren. Haar dunne blonde haren hangen voor haar gezicht, haar
schouders druipen. Wat is het toch een druilerig kind.

'Kom mee,' sist Jeek in haar oor. 'Dan wachten we haar op
in de fietsenstalling. Die trut moet een lesje hebben!'

Ruth laat zich meetrekken. Zou die stomme Anne nu bezig
zijn hun mooie, geweldige, supercoole BWGNG te verraden?
Ze is er achterbaks genoeg voor.

Ruth kan haar kluisje niet meteen dicht krijgen en ze moet
nog even naar de wc. Als ze in de fietsenkelder komt, ziet
ze dat Jeek al een heel stel kinderen om zich heen heeft verzameld. Niet alleen uit hun eigen klas, maar ook uit andere
brugklassen. Mariska is erbij, Wesley natuurlijk, Marwan...
En Barrel ook, ziet Ruth tot haar verbazing. Emma en Bo ziet
ze niet. Derek is aan het woord.

'Dat kunnen we haar toch niet zomaar laten doen? Straks
gaan ze het ons nog verbieden! Net nu ik Expert Beweger ben!'

Daar ben je ook niet eerlijk aangekomen, denkt Ruth, maar
ze zegt niets.

'Een beetje een stille, hè, die Anne?' zegt Mariska. 'Je weet
nooit wat ze denkt.'

'Maar intussen!'

'Slijmen met de leraren!'

'Ze kan het gewoon niet hebben dat wij beter zijn in de
Battle.'

'Beter kunnen dansen zul je bedoelen!'

Iedereen praat door elkaar.

'Maar wat doen we eraan?' vraagt Jeek boven de opgewonden kreten uit. 'Je kunt zo'n klein meisje moeilijk in elkaar slaan.'

'Ze moet wel een lesje hebben,' vindt Ella. 'Verraders kunnen we niet hebben.'

'Waarom sluiten we haar niet op?' stelt Derek voor. 'In de werkplaats van de conciërge. Vanavond komen we toch weer op school, dan laten we haar vrij.'

'Nee joh, gek, dan hebben ze allang de politie gebeld! Ze zeggen dat er een kinderlokker rondloopt.'

'Een uurtje dan,' zegt Derek.

'Oké, een uurtje,' besluit Jeek.

Nu kijkt iedereen naar Ruth. Zij heeft nog niks gezegd. Ook Barrel heeft gezwegen; hij kijkt haar scherp aan.

'Ik weet niet...' zegt ze. 'We weten niet zéker dat ze ons plan verraadt. Misschien is ze gewoon bang.' Ze kijkt naar Jeek. 'Dat jij haar wat doet.'

'Ik?!' vraagt Jeek met grote ogen. 'Zij sloeg míj verrot anders!'

Dat is waar; Anne ging daarstraks achter Jeek aan, en niet andersom.

'Die bitch!'

'Die valse verrader!'

'Achterbaks!'

'Slijmen in je gezicht en kleppen achter je rug!'

Is dat zo? Ruth heeft nooit zo goed op Anne gelet. Een stil meisje, saai. Waarom is ze die middag zo hels geworden? Ze zoekt Barrels blik, kijkt hem vragend aan. Wat vindt hij hiervan?

Het lijkt of Barrel heel even zijn hoofd schudt. Hij draait zich om en loopt de fietsenstalling uit.

Er klinken voorzichtige stappen in het trappenhuis.

'Daar komt ze!' roept Mariska gedempt.

Jeek sist: 'Snel! Allemaal normaal doen. Ella, ga naar haar

toe, lok haar mee. Derek, Wesley, jullie pakken haar van achteren. Maris, jij bindt je haarband om haar mond. Ze moet niet gaan gillen.'

Ruth maakt zich lang. 'Doe normaal!' zegt ze luid. 'Het is Anne maar, hoor!'

Maar het is te laat. Niemand luistert naar haar.

De jongens hebben té veel zin om oorlogje te spelen. Mariska grijpt de kans om tegen Ruth in te gaan. 'Ruth weet het weer beter. En dat noemt zich een Beweger! Aan welke kant sta jij eigenlijk?'

De tengere gestalte van Anne staat afgetekend tegen het licht van het trappenhuis. Even aarzelt ze, dan loopt ze tussen de fietsenrekken door. Ella schiet op haar af. Ze steekt een kop boven Anne uit.

'Hoi! Hé, moet je horen...' zegt ze poeslief.

Ruth pakt haar fiets en loopt weg. Hier wil ze niets mee te maken hebben. Ze heeft haar eigen zorgen. Rif te pakken krijgen, zorgen dat ze vanavond tóch mag... Anne redt zich wel. Die kinderen sluiten haar heus niet echt op. Alleen al het idee is idioot!

Ze probeert het gebrul en de angstkreten niet te horen als ze buiten het hek opstapt en wegrijdt. Verderop ziet ze Barrel lopen. Wat een lafbek. Te bang om mee te doen en te bang om ertegen in te gaan. Ze haalt hem in zonder opzij te kijken.

'Staart tussen de benen, Ruthie?'

Hij heeft haar bij haar nickname genoemd. Van schrik remt Ruth, zo abrupt dat ze bijna van haar fiets valt. Barrel moet erom lachen.

'Misschien ben ik geen danstalent, maar op internet kan ik uit de voeten, hoor. Ik weet alles van je: status, hoeveel ping je hebt, welke trofeeën, wat voor berichtjes je hebt gepost en aan wie... Een echte Beweger ben je, hè? Moest je niet meedoen aan de lynchpartij?' Hij wijst over zijn schouder. 'Hebben ze Anne al te pakken? Heeft ze al een prop in haar mond?

Blinddoek voor? Armen en benen aan elkaar getapet?'

Ruth weet niet precies hoe hij dat bedoelt, maar ze schaamt zich. Ze had moeten blijven. Anne moeten helpen.

'Gelukkig dat jullie met zo veel zijn, hè? Jullie Bewegers. De meute wint en de eenling gaat eraan. Zo werkt het.' Even ziet hij er ongelukkig uit. Een te dikke jongen zonder vrienden. Een Tonnie die zich Barrel noemt om interessant te doen. Maar toch nog steeds zonder vrienden.

'Jij bent zelf ook niet gebleven,' zegt Ruth. 'Lafbek.'

Barrel blijft staan.

'Ja,' zegt hij. Het klinkt vreemd. Ruth blijft ook staan.

'Ik begin niet veel tegen jullie, hè.' Barrel kijkt naar de grond. 'Ik heb het geprobeerd, hoor. Ik heb je zelfs nog een berichtje gestuurd. Maar als Barrel iets zegt, hoef je niet te luisteren.'

'Sorry,' zegt Ruth. Ze meent het niet. Het is nu eenmaal wat je zegt als iemand zielig doet.

'Ja, dat is wat je moet zeggen als iemand zielig doet,' zegt Barrel.

Ruths mond valt open.

Barrel ziet het en lacht, een beetje treurig. 'Ik ben een stommeling,' zegt hij. 'Lopen klagen terwijl ze daar een klein meisje te grazen nemen.' Hij draait zich om. 'Kom mee, Ruthie. Het is een rotklus, maar iemand moet het doen.'

Ruth gaat met hem mee. Hij heeft gelijk. Dan maar niet naar de schoolavond.

VERMIST

Maar als ze in de fietsenkelder komen, is er niemand meer. Waar zijn ze allemaal zo snel gebleven? Ze moeten de fietsenstalling aan de andere kant verlaten hebben.

'De werkplaats,' zegt Ruth.

Barrel voelt aan de deur. 'Op slot.'

Ze kijken elkaar aan. Wat nu? Ruth legt haar handen om haar mond en roept tegen de deur: 'Is daar iemand? Anne?'

Aan de andere kant van de stalling klinken stappen, en daarna het gerammel van een ketting. Een schim buigt zich in het schemerdonker over zijn fiets. Ruth en Barrel wachten tot het weer stil is. Daarna doet Barrel een poging.

'Anne! We komen je helpen! Hoor je me?'

Geen antwoord.

'Niet bang zijn! Wij zijn het, Ruth en Barrel.'

'Alsof dat helpt,' zegt Ruth. 'Anne haat ons waarschijnlijk allemaal even erg. Ze is doodsbang.'

'Vind je het gek,' zegt Barrel.

Ruth bonst op de deur. Zijn er nog mensen in school? Ja, schoonmakers waarschijnlijk, de conciërge misschien en docenten gaan soms laat door met vergaderen. Ze moeten niet té veel lawaai maken.

'Anne!' brult Barrel opeens.

'Stil, idioot!' zegt Ruth, maar Barrel luistert niet. Hij gaat gewoon door met brullen.

'Doe niet zo kinderachtig! We gaan weg, hoor!'

Doodse stilte achter de deur.

'Ze is er niet,' zegt Ruth.

'Ze is er wel, maar ze is bang,' zegt Barrel. 'Ik voel het.'

Voetstappen in het trappenhuis. Ruth herkent de benen van Hijmans.

'Rennen!'

Maar Barrel is langzaam; Hijmans staat al beneden.

'Zijn jullie daar nou nog? Wegwezen, had ik gezegd.'

Ruth en Barrel lopen zo snel ze durven naar de uitgang.

'Dus Hijmans heeft de anderen weggestuurd,' zegt Ruth als ze buiten adem op straat staan.

'De vraag is: vóór- of nádat ze Anne hadden opgesloten?' zegt Barrel.

'Ze hebben haar helemaal niet opgesloten,' zegt Ruth. 'Ze zijn ervandoor gegaan. Er is niets aan de hand.'

Ze stapt op haar fiets, die tegen een lantaarnpaal staat. Ze moet nu eerst haar eigen leven redden. Zo snel ze kan naar Rif!

Maar als ze even later aan de garage klopt, blijft de deur dicht. Ze belt aan – geen gehoor. Ze loopt om – de achterdeur is ook dicht. Waar is Rif? En Menno, die is ook altijd thuis. Waarom nu niet?

Bij haar thuis is de achterdeur gelukkig open. Maar Mark zit niet achter zijn werktafel. Het huis ruikt kil en ongebruikt. Waar is iedereen toch?

Ruth loopt naar Pinky's huis, maar ook daar wordt niet opengedaan. Waar hangt ze uit? Er moet toch wel íemand thuis zijn! Ruth kijkt om zich heen. Wie woont er nog meer in de buurt? Iemand die haar kan helpen... Emma! Ruth gaat naar het pleintje tussen de garages in de straat van Emma en Bo. Misschien zijn er daar BWGR's aan het oefenen voor de dance mob. Ze springt opzij voor een politiewagen die langzaam door de straat rijdt en op de stoep parkeert. Ze schiet het steegje tussen de tuinen in, maar het pleintje ligt er uitgestorven bij. Ze gaat weer naar de straat. Wat nu? Naar Emma's huis? Het is hier zo stil – griezelig! Het lijkt wel oorlog – en dan was zij de enige overlevende. Ze begint te rennen.

Opeens klinkt er een luidsprekerstem: 'Jongedame! Niet zo'n haast. Wacht jij eens!' Het komt uit de politieauto. De zwaailichten gaan aan en weer uit. Het bordje STOP licht op – in spiegelbeeld.

Ruth komt schoorvoetend terug. Wat willen die agenten van haar?

'Waar wou jij heen?' Een van de agenten is uitgestapt. Hij leunt met één arm op het dak van de auto.

'Naar mijn vrienden...' Wat gaat hem dat aan?

'Zo! Een brutaaltje, hè!'

Ze is vergeten haar ogen neer te slaan. 'Ik heb niks gedaan!' Ze denkt aan Anne. Er zal toch niets met haar gebeurd zijn?

'Mogelijk, maar op dit moment is helaas alles verdacht. Ken jij hem?'

'Wie?' vraagt Ruth verbaasd.

'Vincent de Vries. Wie anders?'

'Nee,' zegt Ruth. 'Moet ik die kennen dan? Ik woon verderop.'

De agent in de patrouillewagen zegt iets onverstaanbaars.

'Ja, Vinnie wordt hij genoemd,' zegt de andere.

Vinnie!

'Dus je kent hem wel,' zegt de politieman.

'Hij zit bij ons op school. Het Erasmus. In een andere brugklas. Hij is een vriendje van Bo, het broertje van Emma. Ze wonen daar.' Ze wijst hoopvol.

'Klopt helemaal. Was je daarheen op weg? Dan heb je pech. De familie is natuurlijk ook aan het zoeken.'

'Aan het zoeken?' vraagt Ruth.

'Vinnie wordt vermist. Sinds gistermiddag al. Weet je dat niet?'

'Eh... nee.' Vinnie vermist? Ruth schudt verbaasd haar hoofd.

'Dan ben je de enige in de hele buurt, denk ik. We nemen het niet licht op als er een kind verdwijnt. Er zijn ploegen gevormd. Het park wordt uitgekamd, de sportvelden, alle garages en steegjes en hoekjes en gaatjes. Wanneer heb jij hem voor het laatst gezien? Hoe goed ken je hem? Heb je de laatste tijd iets aan hem gemerkt?'

Ruth geeft verdwaasd antwoord op alle vragen. Vinnie vermist – het heeft niets met haar te maken. Maar ze krijgt er toch een onrustig gevoel van.

Eindelijk laten ze haar gaan.

'Blijf niet in je eentje op straat rondhangen. Zolang we niet weten wat er is gebeurd, nemen we geen risico.'

Op weg naar huis komt ze een groep mensen tegen. Ze zien er moe en terneergeslagen uit. Tamara is er ook bij.

'Ruth! Kom gauw mee naar huis. Je kunt nu beter niet alleen op straat rondlopen.'

Dus ze denken dat Vinnie ontvoerd is. Wie zei er ook weer iets over een kinderlokker? Ruth weet niet wat ze moet zeggen. Het lijkt zo onwerkelijk allemaal. Zeker nu het gaat schemeren.

'Laten we kijken of Mark en Menno al terug zijn,' zegt Tamara. 'Zij zaten in een andere ploeg. Maar het is hopeloos. Geen spoor. Geen spoor!'

Mark en Menno zitten bij Ruth thuis, Menno op de ontbijtbar en Mark op tafel. Er is maar één lamp aan en het ruikt in de kamer naar aangebrande pizza en verschaald bier. Opeens merkt Ruth dat ze haar moeder mist.

Mark en Menno praten over de verdwijning van Vinnie.

Ruth heeft niets met Vinnie. Een stekelig jongetje met stekelige opmerkingen over de BWGNG – wat moet ze ermee? Zielig als een kidnapper hem heeft, maar daar kan zij toch niets aan veranderen.

'Waar ga jij heen?' roept Mark haar na.

'Naar bed...'

'Een vader-en-dochterding,' legt Mark aan Menno en Tamara uit. 'Ik stuur haar morgen wel weer.'

Ruth gaat met kleren aan onder het hoesloze dekbed liggen. Haar telefoon werpt er een groen licht op. Zou Pinky al thuis zijn? Nee, die is vast met de zoekers mee. Of ze zit bij die Jojo thuis. Hoe het is gebeurd, snapt ze niet, maar zij en Pinky zijn geen BFF's meer.

Er is maar één persoon die haar kan helpen. Haar vingers trillen, maar ze durft het: ze stuurt een bericht aan de Dansmeester zelf. Een SOS-bericht:

Lieve Dansmeester,
Ik ben Ruth en ik heb je hulp nodig. We doen een dance mob bij ons op school. Fireball treedt op, de band die jij kent want ze hebben een clip gemaakt voor de BWGNG. *Alle* BWGR's *van de school doen mee en we willen zo de* BWGNG *in één klap bekendmaken op onze school. Maar ik mag niet van mijn vader en moeder. Kun jij wat doen? Please!!! Gauw graag, want het is vanavond al. Help me alsjeblieft!!! Dansen is alles voor mij.*

Ze knijpt haar ogen dicht en verzendt het bericht.
En nu wachten.

Ze is per ongeluk in slaap gevallen. Het is zeven uur als ze wakker wordt. De schoolavond begint al bijna.

Ze haalt haar telefoon onder haar wang vandaan. Ja! Niet te geloven: de Dansmeester heeft geantwoord. Hij heeft haar zomaar helemaal persoonlijk een boodschap gestuurd!

Beste Ruth,
Fijn dat je zo intensief meedoet met de BWGNG. *De* BWGNG *is er voor jou en ik wil er ook graag voor je zijn. Een persoonlijke ontmoeting zit er nu nog niet in, maar je kunt altijd op me rekenen.*
Wat er ook gebeurt, wat anderen ook zeggen: dans! Dans! Dan verdwijnen al je moeilijkheden vanzelf. Onthoud dat ik achter je sta. Hou vol, dan begroet ik je misschien op een dag als Ster in mijn studio! Succes, de Dansmeester

Ruth springt uit bed. Beneden is het stil. Ze rukt haar kast open. Het petje dat ze voor de dance mob had bewaard valt eruit. Dat moet mee. En haar mooiste paarse T-shirt trekt ze aan. Een oversized hemd in een andere kleur paars, een lila sportbroek, gespikkelde beenwarmers en een spijkerjack. Niet héél feestelijke kleren, maar wel geschikt om in te dansen. Het petje propt ze in de zak van het jack. Ze gáát. De Dansmeester staat achter haar. *Dans, dan verdwijnen al je moeilijkheden vanzelf...*

Er hangt een briefje op de ijskast.

Ik ben met een zoekploeg mee, wacht maar niet. Doe alle deuren op slot, misschien loopt er een gek los. Pas op jezelf! Zoen, Mark

Ruth besluit haar leven in eigen hand te nemen. Als haar ouders eenmaal zien hoeveel talent ze heeft...

De camera! Ze is helemaal vergeten te regelen dat iemand een camera meeneemt! Moet ze het dan zelf aan Menno vragen?

Ze holt langs het achterompaadje naar zijn huis. Door de open gordijnen ziet ze Rif in de woonkamer staan, zijn jas al aan. Hij propt iets in een rugzak. Ze rent door de tuin en struikelt bij de achterdeur over een pot verf; gelukkig zit het deksel er stevig op.

Rif staat intussen bij de deur naar de garage, zijn gitaar hangt naast de rugzak op zijn rug.

'Wacht!' hijgt Ruth. 'De camera van je vader! Komt hij ook? Hij moet het opnemen!'

Rif schudt zijn hoofd.

'Had jij geen huisarrest, garnaal? Kleine meisjes kunnen nu beter niet alleen buiten lopen, volgens mij.'

Ruth schudt ongeduldig haar hoofd. 'Ik ga! Kan me niet schelen wat iedereen zegt!' Ze gilt het uit.

In de garage lacht iemand. De deur gaat open. Jim! Hij ziet er spannend uit in een glanzend paars overhemd.

'Hoor je het nu, Rif, jongen? Niemand houdt de sarasara tegen als zij eenmaal iets in haar kop heeft.'

'Die dance mob is een waardeloos idee. Mariska kan toch dansen op het podium!'

'Ruth kan ook dansen op het podium. Niet om je liefje te beledigen, maar Ruth is wél beter.'

Rif gromt iets.

'Dus twee meisjes op het podium is oké?' vraagt Jim. Ruth kan hem wel wat doen. Dat is de bedoeling niet! Zij wil met Liquid Bo de dance mob leiden.

'Hm, nou, als het dan moet,' zegt Rif. 'Ik krijg ontzettende mot met de ouwelui, maar oké.'

'Ze hoeven het niet te weten,' zegt Ruth. Even denkt ze aan Roelie, die nu in een verpleeghuis zit om weer te leren lopen. Ze drukt de gedachte weg.

'Maar wacht even,' zegt Jim dan. 'Wat is nou mooier? Twee meisjes op het podium, het gewone achtergrondgehuppel? Of als de hele zaal opstaat om te dansen? Op ónze muziek!'

Ruth kijkt hem verrast aan. Jim grinnikt. Even lijkt hij echt sprekend op de Kungfu Panda.

'We kunnen geschiedenis schrijven, man!'

Maar Rif slaat met zijn vuist in zijn hand. 'Nee! Dat leidt alle aandacht van ons af.'

'Natuurlijk niet. Zie het als een eerbetoon. En als iemand achter in de zaal alles filmt, zie je die dansers alleen als silhouetten. Afgetekend tegen het podium waarop Fireball in het volle licht staat te schitteren. De grote ster, dat blijf jij toch. Oké?'

Ruth heeft op meer gehoopt dan dat. Zo zal ze te zien zijn als een donkere schim... Maar het is beter dan niks en het heeft misschien ook voordelen als ze niet herkenbaar is. Minder kans op straf. Minder trammelant met Roelie.

'Maar wie moet het dan filmen?' vraagt Rif eindelijk. 'Mijn vader is dat jongetje zoeken.'

Ze heeft gewonnen! Rif verzet zich niet langer. Ruth doet de Dope-Stoop-Move een paar keer achter elkaar. Jim houdt zijn hand op en ze slaat de hare ertegenaan.

'Filmen doet mijn zus wel,' zegt Jim tegen Rif. 'Komt goed, ze zit op de Filmacademie, ze heeft zelf zo'n ding. Kom op, dan gaan we.'

'We gaan!' roept Ruth. Ze is gelukkiger dan ze in maanden is geweest.

FIREBALL

Bij de schoolingang staan ouders met flyers. Vinnies gezicht is er korrelig op afgedrukt. 'Denk aan Vinnie, denk aan Vinnie,' zeggen ze bij elk blaadje dat ze uitdelen. Op het papiertje staat de vraag: 'Heb je hem gezien? Wanneer? Waar?' en een telefoonnummer.

Ruth vouwt het blaadje heel klein op. Ze wil niet aan ontvoeringen en kinderlokkers denken. Ze neemt niet de hoofdingang, maar loopt door de fietsenkelder naar binnen. Ze voelt aan de deur van het gereedschapshok.

Tot haar verrassing gaat die open. Het licht is aan.

'Anne?'

Ze doet een paar stappen naar binnen. Maar er is niemand. Ruth herademt. Met Anne moet alles tenminste oké zijn.

Dan ziet ze dat het hangslot is geforceerd. Oei. Heeft Anne toch opgesloten gezeten? Wanneer is ze dan bevrijd?

Boven loopt ze Noor en Yeliz tegen het lijf.

'Het gaat toch door?'

Ruth knikt. 'Tuurlijk.'

'Maar ik dacht... nou met Vinnie...' aarzelt Yeliz.

'Wij helpen hem toch niet door suf in de zaal te blijven zitten?'

'Inderdaad.' Noor stoot Yeliz aan. 'Je lijkt wel een oud wijf, zeg.'

Yeliz houdt geschrokken haar mond en Noor gaat door: 'Wanneer beginnen we, Ruth? Wat is het teken?'

'Derek zet een dansclipje op de beamer. Als dat stopt, zijn wij aan de beurt.'

'Zoals afgesproken dus,' zegt Noor. Ze loopt door.

Alle BWGR's van de school lopen geheimzinnig te doen over de dance mob. Alle anderen – leraren, ouders, leerlingen – praten over de verdwenen Vinnie.

'Het was bijna afgelast,' hoort Ruth Hijmans zeggen. 'Maar ik vond dat hij dat niet kon maken.'

'En hij heeft naar je geluisterd dus.' Stoop slaat zijn collega op de schouder. 'Goed werk. Je kunt al die kinderen niet in de kou laten staan. Ze hebben zó geoefend!'

En je weet nog niet de helft, denkt Ruth.

'Die kinderlokker is voorlopig nog een fabeltje,' zegt Hijmans.

Ruth wil afslaan naar de kleedruimte achter het podium, maar ze verandert van gedachten als Stoop zegt: 'Over kinderlokkers gesproken: die zogenaamde Dansmeester, hè? Dat deugt niet, hoor. Die Dansmeester met zijn Beweging heeft een ongehoorde invloed. In mijn lessen willen ze alleen nog maar hiphop horen.'

Ruth blijft stilletjes achter de docenten lopen.

'Een kind uit 1A heeft haar dagboek aan die Dansmeester opgestuurd, schijnt. Vol klachten over haar ouders.'

'En 1C is helemaal óm, hoor ik. Daar heeft er één een spreekbeurt gehouden over de Beweging. Maar kan het kwaad?'

'Zeker kan dat kwaad! Ik hoor van alle collega's dat de cijfers kelderen. Over de hele linie! Leerlingen staan uren voor een camera op en neer te hopsen!'

'Beter dan als een zitzak achter de computer te hangen, toch?' vraagt Hijmans.

Ruth grinnikt onhoorbaar. Nu gebruiken zelfs leraren dat woord!

Stoop schudt zijn hoofd. 'Zeg dat niet! "Zitzak" is het woord waarmee die Bewegers anderen zwartmaken. Het is een stigma. Je kunt ze net zo goed een ster op doen. We hebben het over uitsluiting. Over cyberpesten. Er komen brokken van.'

Klets maar raak, denkt Ruth. Wij trekken ons toch niets aan van dat gezeur! Over een uur zul je wel anders piepen – als je eenmaal hebt gezien wat de BWGNG is!

Via een omweg bereikt ze de kleedruimte. Rif heeft nu ook zo'n glanzend overhemd aan. Hij staat de versterker te testen.

Achter het gordijn klinkt het geroezemoes van het publiek dat de zaal binnenstroomt.

'Wegwezen, garnaal,' zegt Rif. 'Zoek jij maar een strategisch plekje in de zaal. Hoe lang duurt die ongein van jullie?'

'Drie minuten,' zegt Ruth verbolgen. 'En je hoeft niet zo te bazen. Zonder mij stond je hier niet.'

'Dat moet je toegeven, brada,' zegt Jim, die dichterbij komt.

'Hou jij je kop maar, Kungfu Panda.' Rif heeft ergens de pest over in.

'Is er iets mis?' Ruth kijkt rond. Dan ziet ze Mariska achter een scherm staan. Ze draagt de paarse glitterkleren en doet strekoefeningen. Maar door haar make-up lopen tranensporen. Nou, dat heeft haar neef weer snel voor elkaar gekregen; ze zijn nog geen tien minuten binnen!

Ruth legt haar hand op Jims schouder en schudt zachtjes. Nu er toch niks is tussen hen, durft ze dat wel. 'Trek je niks van hem aan, hoor. Het duurt nooit lang.'

Jim legt zijn hand op de hare en drukt. Ze zit klem; ze voelt de spieren onder zijn shirt. Dan laat hij haar los en Ruth trekt gauw haar hand terug.

'Vergeet die bitch toch,' zegt Vigo tegen Rif. 'Meiden zijn het niet waard, hoor.'

Ruzie met Mariska dus. Dat kan Ruth niet schelen; na het weekend is het uit. Er staan vast al andere meisjes te trappelen.

'Straks verpest ze onze act,' bromt Rif.

'Gooi haar er dan uit,' stelt Vigo voor.

'Probeer jij het? Je krijgt nog makkelijker een olifant van het podium.'

Jim maakt een zuigend geluid tussen zijn tanden.

'Laat mij maar,' zegt Ruth. Ze gaat naar Mariska toe. 'Ruzie met Mister Fireball?'

Mariska knikt.

'Weet je wat je moet doen, Maris? Je moet Rif gewoon laten

stikken met zijn act. Zonder jou stelt dat hele optreden niks voor.'

Mariska kijkt verrast.

'Denk je echt?'

'Doe gewoon lekker met ons mee. Een achtergronddansje is ouwe koek, daar kijkt niemand van op. Maar een dance mob is pas echt stoer! En met het clipje worden we beroemd op YouTube! Dat wil je toch veel liever?'

'Serieus?' Mariska haalt haar neus op. 'Ik dacht dat jij mij er niet bij wou hebben.'

Ruth schudt haar hoofd. 'Juist wel. Jij kent de dans toch het beste? Alleen vond jij Rif belangrijker dan de Dansmeester. Nou, dat is hij niet, hoor! Weet je dat ik een persoonlijk bericht van hem heb gehad?'

'Van de Dansmeester?!'

'Hij weet wat we gaan doen en hij wenst ons succes.'

Mariska houdt op met stretchen.

'Oké. Ik doe met jullie mee.'

'Mooi. Moet je wel wat over die glitters aantrekken. Anders verraad je alles. Enne... er lopen strepen over je gezicht. Dat verdient hij niet, hoor. Volgende week heeft hij weer met een ander.'

'Loser,' zegt Mariska. Ze loopt naar een spiegel.

Ruth trekt een grimas en gaat naar de zaal. Ze voelt zich erg nobel als ze even later ook nog een stoel vrijhoudt voor Mariska.

Maar als het licht uitgaat en de directeur op het podium een praatje over Vinnie begint – 'We denken allemaal aan hem, en aan zijn ouders' – voelt ze zich opeens harteloos. Zó veel heeft ze nou ook weer niet aan hem gedacht. Nou ja, morgen zal ze helpen zoeken. Vanavond gaat het om haar toekomst.

De andere optredens zijn niet zo lang, toch duurt het voor Ruth eindeloos. Ze zit tussen Mariska en Barrel. Liever had ze naast Emma gezeten, maar ze hebben nu eenmaal afgesproken zich te verspreiden.

Na drie kwartier slappe grappen en lerarenlol wordt het podium eindelijk vrijgemaakt voor Fireball. Ruths keel wordt langzaam droog bij de eerste nummers. Vreemd; normaal is ze nooit zenuwachtig als het om dansen gaat. Ze voelt dat ze het kan, ze wéét dat ze het kan. Is het omdat al die leraren in de zaal zitten? Streng, zoals Terweijden, kritisch, zoals Hijmans, en wantrouwig, zoals Stoop. Sommigen zullen het sportief opvatten. Anderen zien het misschien als verstoring van de orde. En zou de directeur het niet smakeloos vinden, om met zo'n verrassing aan te komen terwijl er een jongen wordt vermist? Hoe langer het duurt voor ze kunnen beginnen, hoe harder Ruths hart gaat kloppen. Naast haar oog trilt een spiertje. Ook dat nog.

Dan wordt er gejuicht. Ruth staart naar het grote scherm, waar het clipje is gestart. Fireball zet het bijbehorende nummer in, ietsje te laat, maar onder leiding van Jim halen ze het dansritme in met de muziek. Ruth ziet zichzelf en Jim en Mariska om de beurt naar voren komen alsof ze onderdeel zijn van een machine. Elke move precies op de tel, glad, geolied, soepel. Zijn ze echt zo goed? Jim kijkt ernstig, Mariska glimlacht vaag en Ruth zelf ziet er beheerst uit. Ze zijn góed! Als ze even plaatsmaken voor de solo van Rif, die apart is opgenomen, wordt er geklapt. Voor hen? Dan is de dans weer aan de beurt, dezelfde routine, maar met kleine variaties. Ze zijn góéd!

Het clipje is afgelopen en weer klinkt er applaus, nu nog luider. Maar er is geen tijd om van het succes te genieten. Want precies op tijd is het zaallicht aangegaan. Ruth gooit gauw haar jack uit. De afspraak is dat Emma, Bo en zij beginnen. Maar acht tellen later staan er zes kinderen te dansen, nog eens acht tellen later twaalf en weer even later vierentwintig. Overal in de zaal staan nu kinderen in het paars van hun stoelen op en beginnen te bewegen.

Het volume wordt iets opgedraaid. Terwijl ze danst voelt Ruth de opwinding van de toeschouwers. Door de beat heen gonst en bromt het om haar heen: hoorbare bewondering. Ze groeit. Ze groeit ter plekke tien centimeter. Geen enkel spiertje in haar lichaam trilt onwillekeurig: elke spier doet precies wat zij wil. Dit is beheersing. De muziek stroomt recht door haar lichaam naar haar tenen. Elke twijfel verdwijnt, alle zorgen smelten van haar af. Dit is leven. Ze danst! En om haar een dansen tientallen BWGR's, net zo energiek.

Ze hebben niet voor niets geoefend: ze bewegen precies tegelijk. De Dope-Stoop-Move, een wave, een paar Frog Jumps, en dan gliden, als één man. Dit is de BWGNG! De zaal lijkt te golven.

Plotseling gaat Jim over op een ander ritme. Dat is het teken – meteen gaat Ruth zitten en in één beweging slaat ze haar jack om haar schouders. Van het ene moment op het andere zitten alle BWGR's weer onherkenbaar op hun stoelen.

Het grote licht gaat uit. Nu wordt het gonzen en brommen luider. Fireball maakt een einde aan het nummer. Nu wordt er niet alleen geklapt; er wordt gejuicht!

'Wauw!' zegt iemand achter Ruth. 'Wat was dat? Daar wil ik ook bij!'

Ze draait zich om. Het is een tweedeklasser die achter haar zit.

'Kan,' zegt ze vol zelfvertrouwen. 'De Beweging is voor iedereen.'

'O, nee hè! De Beweging? Dus júllie hebben mijn zusje zo te grazen genomen!' En tegen de vrouw die naast haar zit: 'Dat zijn die Bewegers waar Anne zo bang voor is, mama. Daarom wou ze niet mee.'

Ruth draait zich gauw weer om. Het is laf, maar ze weet zo gauw niets te zeggen.

Dus Anne is er toch niet ongeschonden afgekomen die middag. Stomme Jeek, stomme Wesley, stomme Ella. Dat zijn gewoon stomme kinderen. Met de BWGNG heeft hun actie niets te maken. Derek kan niet eens echt dansen. Martin is een meeloper. Mariska heeft zich in de BWGNG ingekocht. Wat zijn dat nou voor BWGR's!

De gordijnen vallen dicht, het licht gaat aan, het rolluik van de kantine schuift open; het is pauze.

'Kom, je krijgt wat te drinken van mij,' zegt Mariska.

Ruth wil liever Emma opzoeken. Maar ze krijgt de kans niet, want zodra ze in het gangpad staat, wordt ze op de schouders gehesen. Boven de massa deinend ziet ze verderop dat Liquid Bo ook zo wordt gehuldigd. Ze zwaait even naar hem en hij wiebelt met zijn hoofd als antwoord.

Intussen proberen kinderen haar schouderklopjes te geven en de complimenten schallen in haar oren.

'Dat was super!'

'Toppie, man!'

'Van wie waren die moves?'

'Weet je toch! Van Ruth en Liquid Bo!'

'Toffe choreo!'

'Cool man, die Beweging!'

'En zag je haar in die clip? Geweldig!'

'Mag ik in jouw studio komen?'

'De Dansmeester gaat jou zéker uitnodigen!'

'Gefeliciteerd!'

Zelfs leraren knikken haar hartelijk toe. Ruth is helemaal beduusd als ze weer op de grond wordt gezet. Tussen de lachende gezichten door gaat ze op zoek naar Emma. Maar weer lukt het haar niet om haar te vinden, want opeens staat ze tegenover Jim.

'Je bent het gesprek van de avond.' Hij lacht breed. 'Wat denk je, sarasara? Aan het eind van de tweede set nog een keertje op het podium? Jij en ik? Rif vindt het goed.' Hij pakt haar bij haar schouders en maakt een paar danspassen op de slappe muziek uit de luidsprekers. 'Of voel je je nou te goed voor de Kungfu Panda?'

Ruths gezicht is niet groot genoeg voor de lach die eruit wil. Maar ze zegt: 'Jij, ik en Mariska, oké?' Dat is alleen maar eerlijk.

'En Rif zien veranderen in een echte vuurbal? Mij best.' Jim grinnikt. 'Kom samen maar naar de kleedkamer dan.'

Een uurtje later danst Ruth de vonken uit het podium, in het volle licht. En achter in de zaal staat Jims zus Charlena het allemaal te filmen.

DE DANSMEESTER

Voordat Mahmood maandagochtend met de wiskundeles kan beginnen, komt de directeur de klas binnen. Zijn gezicht staat ernstig en de klas houdt op slag de adem in. Iedereen denkt aan Vinnie. Aan journaalbeelden over kinderlijkjes tussen de struiken.

Mahmood gaat zitten, buigt zijn hoofd en staart naar zijn gevouwen handen. Ruth voelt koud zweet tussen haar schouderbladen prikken.

'Ik wilde het jullie graag persoonlijk vertellen,' zegt de directeur. 'Alle brugklassen zijn hier direct bij betrokken.'

Er trekt een soort rilling door de klas. Ruth merkt dat ze haar hoofd tussen haar schouders heeft getrokken, alsof ze een klap verwacht. Ze kan die ernstige blik niet meer verdragen; ze slaat haar ogen neer en wacht tot het verschrikkelijke is uitgesproken.

Vinnie dood. En zij heeft het hele weekend niet aan hem gedacht. Ze heeft op bed gelegen met haar telefoon, en tienduizend keer het clipje afgespeeld dat Jims zus op internet heeft gezet. In de logeerkamer bij Rif, omdat ze thuis te veel aan haar moeder moet denken.

Charlena heeft natuurlijk veel ingezoomd op Jim en zijn drumstel. Ook Rif komt ruim in beeld. Maar op het moment dat de dance mob begint, verdwijnt de muziek van Fireball naar de achtergrond. Er zit een lamp op de camera en de BW-GR's zijn duidelijk te zien met hun paarse shirts en trotse logo. Het is indrukwekkend om te zien hoe er steeds meer paarse petjes opstaan... Wat zijn ze met veel! Ze bewegen werkelijk als één man. Het ziet eruit als een wonderlijk soort machine, of een bloemenwei waar de wind door gaat, of... Nee! Het ziet eruit als de BWGNG! Nooit heeft Ruth zó het gevoel gehad dat ze ergens bij hoort. Nooit is ze zo trots geweest; niet eens op zichzelf, maar juist op hen allemaal. Ze hebben dit sámen neergezet! Ze kon er niets aan doen dat de tranen over haar wangen stroomden, iedere keer dat ze het zag.

Er is nog iets waar ze het hele weekend een goed humeur van heeft gehad. Onder het filmpje heeft Jim gezet: 'Choreo van Liquid Bo en mijn vriendinnetje Sarasara (aka Ruthie). Issie dope of issie dope?' Ze moest er telkens weer naar kijken.

Ze stuurde Pinky een linkje. Onwillekeurig heeft ze al die tijd verwacht Pinky in haar oor te horen krijsen: 'Wáááát?! Heb je nou met de Kungfu Panda?!' Maar Pinky heeft niet gereageerd. Gek, die stilte. Heeft ze iets verkeerd gedaan? Of heeft Pinky het te druk met die Jojo?

Toch voelde Ruth zich vanochtend, toen ze naar school fietste tussen Emma en Bo in, gewoon gelukkig. Ze weet niet wat Jim bedoelt met dat 'vriendinnetje' en ze weet niet eens waar ze die bijnaam Sarasara aan te danken heeft – betekent het iets? Maar ze is gewoon blij: blij dat ze Jim weer zal zien op school, blij dat ze vandaag weer onder BWGR's zal zijn, blij dat de wereld nu weet dat zij kan dansen.

En nu dit.

'Ik had hier liever niet gestaan,' zegt de directeur. 'Toch is het nieuws niet zo slecht als het had kunnen zijn. Vincent de Vries is niet vermoord, niet verkracht, niet ontvoerd...'

Niet?!

'... en zelfs niet gewond. Hij werd zonder geld en papieren aangetroffen in een Duitse trein. Dus hij is terecht. Volkomen ontredderd, dat wel. Uitgedroogd en hongerig. Half in paniek, misschien in shock. Hij wordt ter observatie gehouden in een Duits ziekenhuis. Nee, goed gaat het niet met Vinnie. Toch koos hij hiervoor.' De directeur zwijgt. Een zware stilte hangt in de klas.

Ruth kijkt op. Wat bedoelt hij?

'Vinnie,' zegt de directeur nadrukkelijk, 'had geen moeilijkheden met zijn ouders. Hij is ziek, maar hij kon leven met zijn ziekte. Nee, Vinnie liep om een andere reden van huis weg.

Hij vond het hier op school zo naar, dat hij er liever blinde-lings vandoor ging.'

Weer zo'n stilte. De directeur kijkt de klas rond; zijn blik blijft bij Ruth hangen. 'Kijk maar niet zo. Jij, vooral jij, weet heel goed waarover ik het heb. Ben jij niet een van de aanstich-ters hier op school?' Hij bedoelt het niet als vraag.

Anne snikt plotseling, één keer, dan buigt ze haar hoofd en huilt geluidloos.

'Zeg het maar, meisje,' zegt de directeur. 'Jij weet óók waar ik het over heb, of niet? Jij hebt de kracht van die beweging gevoeld... Maar jij bent er niet zo blij mee, wel?'

Er komt geen antwoord. Alleen Annes schouders schokken. Ruth heeft het ongemakkelijke gevoel dat ze precies weet wat Anne níét zegt.

De directeur kijkt de klas rond.

'De conciërge heeft vrijdag een meisje moeten bevrijden uit de werkplaats. Ze ging er als een haas vandoor. De schoollei-ding heeft vermoedens, geen bewijzen. Weet iemand er meer van?'

Stilte.

'Anne?' vraagt Mahmood.

Anne snuft. Ruth vindt het wreed dat die twee volwasse-nen zo naar haar blijven staren. Ze weten kennelijk dat zij dat meisje was. Waarom dwingen ze haar dan te praten? Zien ze niet dat ze het nog erger maken zo?

'Je kunt het beter vertellen,' houdt Mahmood aan. 'Blijf an-ders even na de les.'

Anne schudt wild haar hoofd. Ruth merkt dat Jeek en Wesley gespannen haar kant uit kijken. Ella en Noor staren strak naar hun tafel. De spanning stijgt terwijl iedereen wacht of Anne de BWGR's gaat verlinken.

'Laat haar maar,' zegt de directeur eindelijk. 'Ze weten het zelf wel. Anne hoeft hun namen niet te verraden. Is Wesley de grote gangmaker? Of Ella? Jeek?' Zijn blik blijft rusten op Ruth. Zij kijkt fel terug. Zij niet!

De directeur laat zijn ogen verder dwalen. 'Of... Mariska?'

'Ik niet!' stuift Mariska op. 'Ik heb er niks mee te maken! Waarom moet u altijd mij hebben?'

Omdat jij het middelpunt wou zijn, denkt Ruth. Omdat jij de bende aanvoerde... Ze ziet Mariska nog staan met de haarband in haar handen.

Maar Ruth zelf heeft niet afgewacht of Anne die echt om haar mond kreeg gebonden. Omdat ze te laf was. Zij ook.

Gelukkig gaat de directeur de klas uit; hij moet nog naar 1D met zijn preek. Mahmood heeft de rest van het uur geen moeite om orde te houden. Het valt op dat niemand Annes richting uit kijkt. Maar ook Mariska lijkt opeens onzichtbaar. Zij heeft de BWGNG net zo goed verraden met haar 'ik heb er niks mee te maken'.

In de pauze komt Emma op haar afrennen. Ze trekt Ruth mee naar het hoekje tussen het podium en de gordijnen.

'Ik heb persoonlijk bericht van de Dansmeester!' zegt ze. 'Ik had hem verteld over onze dance mob. Moet je lezen!' Ze houdt Ruth haar telefoon voor.

Terwijl ze leest, beginnen Ruths wangen te prikkelen. Ze voelt het bloed uit haar hoofd wegtrekken.

Beste Emma,
Fijn dat je zo intensief meedoet met de BWGNG. *De* BWGNG *is er voor jou en ik wil er ook graag voor je zijn. Een persoonlijke ontmoeting zit er nu nog niet in, maar...*

Ruths ogen vliegen over de regels. Het is letterlijk hetzelfde bericht dat zij zelf heeft gekregen! En zij dacht nog wel dat de Dansmeester haar persoonlijk steunde!

Een standaardantwoord. Misschien heeft de Dansmeester het niet eens echt bedacht. Leidt hij de BWGNG wel? Misschien is hij gewoon een gast die dansjes uitvoert die een ander heeft verzonnen... Zo wil ze helemaal niet denken.

'Leuk,' brengt ze uit. Ze wil niet liegen, niet tegen Emma, maar ze wil ook Emma's plezier niet bederven.

'Je hoeft anders niet jaloers te zijn, hoor,' zegt Emma. 'Je moet hem gewoon ook iets sturen. Je ziet nou dat hij echt zelf antwoordt!' Ze straalt.

Ruth knikt zwakjes. Moet ze Emma uit de droom helpen? Of moet ze haar die blijdschap gunnen? Wat dóén beste vriendinnen?

Ze praat eroverheen.

'Moet je horen,' zegt ze. 'Ik vind Jim leuk. De drummer van Fireball, weet je wel? Maar ik kom er niet achter of hij mij...'

En pas als ze Emma's vlecht tegen haar wang voelt, merkt ze wat ze heeft gedacht: dat Emma nu haar beste vriendin is. En dat doet maar een beetje pijn.

Het gaat niet expres, maar na school fietst Ruth achter Rif en Jim aan. Alsof hij het voelt, draait Jim zich om en zwaait. Ruth bewondert de manier waarop hij zijn fiets rechthoudt terwijl zijn lichaam alle kanten uit kronkelt. Hij lijkt niet op de Kungfu Panda! Hij is lenig en sierlijk en een geweldige drummer en ze wou dat hij... Ze krijgt een rood hoofd, ook al kijkt Jim alweer voor zich.

Mijn vriendinnetje Sarasara... Betekent het nou iets of niet?

De jongens gaan niet naar de garage, maar naar boven. Ruth loopt ook door. Als ze de logeerkamer in wil gaan, zegt Jim over zijn schouder: 'Niet zo ongezellig, Sarasara. Ik heb je het weekend ook al helemaal niet gezien.'

Blozend loopt Ruth achter hem aan naar Rifs kamer. Kan het echt? Jim is al zo oud... En veel te populair en te leuk voor haar...

Jim gaat op bed zitten en klopt naast zich. 'Kom zitten.'

Ruth ziet dat Rif ziet dat ze nog roder wordt. Help! Nu gaat hij haar natuurlijk pesten.

Jim pakt haar hand. Hélp! Zijn handpalm voelt een beetje leerachtig. Droog, warm en leerachtig. De hare wordt meteen vochtig.

'Ik moet je nog wat opbiechten,' zegt hij.

Hellùùùp!!

'Ik heb het linkje naar Charlena's filmpje naar de Dansmeester gestuurd,' zegt Jim. 'Vind je het erg?'

Ruth is ontzettend opgelucht. Jim is leuk, veel te leuk, maar ze wordt heel zenuwachtig bij het idee dat hij háár leuk zou vinden. Dat linkje, och. De Dansmeester bekijkt het filmpje waarschijnlijk niet eens zelf.

'Wat betekent sarasara?' vraagt ze dan opeens.

Jim schiet in de lach. 'Garnaal!' zegt hij.

Ruth trekt beledigd haar hand terug. 'Wat! Ik mag het toch wel vragen!'

Jim buigt opzij en geeft een kusje in de lucht naast haar wang. 'Ik bedoel het aardig, hoor. Vergeef je me?'

Ruth schokschoudert. 'Maar wat betekent sarasara?'

'Garnaal, dat zeg ik toch. Ik vind Sarasara beter bij je passen.'

Garnaal! Ruth probeert niet te laten merken hoe teleurgesteld ze is.

Maar Jim zegt tegen Rif: 'Hoe kun jij zo lelijk zijn, gast, terwijl je een nichtje hebt met zulke ogen?'

Ruth moet lachen. Rif is verreweg de mooiste in de familie, zelfs knapper dan Isa. En Ruth is een garnaal. Nou en? Het kan haar eigenlijk niet schelen – ze is Mariska niet!

'Hij wil al met je sinds september,' zegt Rif. 'Dus zeg nou maar ja, dan hebben we dat gehad. Maar niet klef doen op mijn bed.'

Ruths hart springt in galop en dendert rond tussen haar ribben. Ze kijkt Jim aan, net lang genoeg om te zien dat hij er plotseling uitziet als een aubergine.

'Ruth!' Tamara's stem klinkt van beneden. 'Ga je mee?'

Ruth springt overeind. Ze wil héél graag naast Jims warme lijf op bed blijven zitten. En tegelijk weet ze niet hoe gauw ze weg moet komen.

'Gered door de gong,' zegt Rif.

Ruth schopt de deur achter zich dicht om Jims antwoord niet te hoeven horen. Ademloos holt ze de trap af. Jim Hendriks vindt haar leuk!

'Hèhè,' zegt Tamara. 'Mark wacht. We gaan je moeder halen.'

Halen? Ruth snapt het even niet.

'Halen?' stamelt ze. Nu al? Roelie moest toch weken en weken revalideren?

Tamara moet lachen. 'Was het nog niet tot je doorgedrongen? Roelie mag naar huis. Valt dat even mee, hè?'

Eerst is Ruth blij. En dan meteen niet meer. Ze weet zeker dat het nu uit gaat komen dat ze toch met de dance mob heeft meegedaan.

Mark zit al in de auto. 'Ik dacht dat je wel meteen na school thuis zou komen. Slingers ophangen of zo.'

'Ik... ik koop wel bloemen,' mompelt Ruth. Er is vast wel zo'n kraampje in de kliniek.

Ze voelt zich raar. Ze wil aan Jim denken – maar ze moet aan haar moeder denken. Dat hoort zo.

En dat wil ze ook. Ze heeft Roelie erger gemist dan ze had verwacht. Maar tegelijk is ze doodsbang. Roelie ziet alles, merkt alles.

Ruth had gedacht dat ze trots op zichzelf zou zijn als de dance mob een succes zou worden. Maar nu schaamt ze zich. Het is een rotgevoel. Het zijn allemaal rotgevoelens door elkaar. Ze heeft haar moeder verraden. Vinnie ligt ver weg in een ziekenhuis. Haar vader is boos op haar. Haar ouwe trouwe vriendin is ze kwijt. De Dansmeester stuurt nepberichtjes. En misschien wordt ze ziek. Dat zal ze nooit zeker weten – tot het gebeurt.

Maar de BWGNG bestaat. Ze is een ster op school. En Jim vindt haar leuk.

'Mis ik iets?' vraagt Mark. 'Je ziet er zo bedrukt uit.'

'Zit je in over Vincent?' vraagt Tamara. 'Hoeft niet hoor. Hij is terecht. Hij was van huis weggelopen omdat hij gepest werd.'

'Toch niet door jou?' vraagt Mark aan Ruth. 'Soms denk ik dat ik jou helemaal niet ken.'

'Nee!' zegt Ruth, maar ze bloost. Echt aardig is ze nou ook weer niet voor Vinnie geweest.

'Hij schijnt reuma te hebben.' Tamara houdt maar niet op. 'Sneu voor zo'n ventje. En als dan de hele school het op een dansen zet...'

'Ach, die Beweging van ze zakt toch wel weer in elkaar.' Mark start. 'Nou, op naar Roelie. Gordel om, Ruth.'

Het is een lange saaie rit, en Ruth zoekt afleiding bij haar telefoon. Zou er bericht van hNdrX zijn?

'Toch niet weer die Beweging?' vraagt Mark.

Ruth schudt haar hoofd, maar ze kan het niet laten om toch even te checken of Jim misschien iets voor haar heeft achtergelaten op het forum. Ze schut het schermpje af met haar handen. Nee, niks van hNdrX. Maar de Dansmeester heeft haar wel iets gestuurd!

Ach nee, dat is vast weer zo'n tekst die alle BWGR's krijgen: 'Voorzie jezelf van vitamine D – dans!' 'Je beste vriend staat in de spiegel.' 'Heb je vandaag al iemand een compliment gegeven?'

Dan fronst ze.

'Beste Ruthie,' schrijft de Dansmeester. 'Of moet ik zeggen: Sarasara?'

Dat kan geen standaardmailtje zijn! Sarasara, zo heeft Jim haar genoemd in het onderschrift bij de clip op internet.

Mark stopt. Shit, ze zijn er. Ruth probeert nog gauw de rest te lezen.

'Schiet eens op,' zegt Mark. 'Eruit, hup! Je moeder wacht, ja!'

Ze stappen uit en Mark doet de auto op slot. Ruths blik kleeft aan het display van haar telefoon.

'Ik heb je dansfilmpje met belangstelling bekeken,' schrijft de Dansmeester. 'De clip zelf is onbruikbaar voor de Beweging omdat we met dat nummer iets anders van plan zijn. Maar is de choreografie van die flash mob inderdaad van jou en Liquid Bo? Er is een move bij die ik graag van jullie zou willen leren...'

Dat moet de Dope-Stoop-Move zijn!

'Daarom nodig ik jullie graag uit voor een workshop. Misschien kunnen we wat moves uitwisselen. En wie weet komt er een leuk clipje uit. In ieder geval leuk om kennis te maken! Tot ziens, de Dansmeester.'

'Ruth!' Mark klinkt boos.

Ze staan op een parkeerplaats tussen hoge bomen. Het revalidatiecentrum heeft een lage ingang met veel glas. Achter het glas staat Roelie. Ze zwaait met beide armen (en ze valt niet eens om).

Ruth voelt dat haar benen in actie komen. Tot haar eigen verbazing rent ze naar de ingang.

Roelie haast zich naar de deur, met één hand langs het glas.

'Mama!' Ruth gooit zich tegen haar moeder aan. Bijna vallen ze allebei om. Maar het gekke is dat Roelie daarom lacht.

Ze laten elkaar los. Ruth draait haar telefoon om en laat Roelie de site van de BWGNG zien.

'Ik krijg les van de Dansmeester. Ik ga weer dansen! En ik dans tot ik niet meer kan.' Ze kijkt haar moeder recht aan. Ze heeft genoeg van dat achterbakse gedoe. Ze wennen er maar aan: Ruth danst.

'Wen er maar aan,' zegt ze.

Roelie houdt op met lachen. Ze kijkt terug. Niet streng, niet boos – gewoon om aan de weet te komen wat Ruth denkt.

Ineens bedenkt Ruth dat ze die zeekleurige ogen van haar moeder heeft. Misschien was haar moeder vroeger ook brutaal – voordat die ziekte alles verpestte. Ruth denkt aan de trillende spieren. Misschien zou het fijn zijn als ze haar moeder kon vragen of het zo begint.

Ze staren elkaar aan.

'Als ik ziek word,' zegt Ruth, 'hou jij dat toch niet tegen.'

Langzaam schudt haar moeder haar hoofd. 'Nee, hè?' Ze zucht.

'Je hebt trouwens ook rolstoeldansen,' zegt Ruth. Nee, ze slaat haar blik niet neer. Waarom? Ze hoeft zich nergens voor te schamen.

Haar moeder kijkt zó doordringend terug dat Ruth het gevoel krijgt dat Roelie door haar ogen naar binnen kruipt.

'Mama?'

'Goed dan,' zegt Roelie eindelijk. 'Dans jij maar.'

Samir! riep Marike in gedachten. *Kom! Kom nu!*
Ze hoopte zo hard dat het pijn deed. In haar borst
verstopten zich alle dingen die ze Samir moest
zeggen, alle plannen en dromen, alles wat ze samen
konden doen als ze eenmaal...
Haar vingers groeven naast haar billen in het zand.
De luchtwerd donkerder, het oranje vervaagde.
Straks was het te laat.
*Samir, je moet komen! Loop langs het pad, klim
over het hek, volg mijn spoor, kom bij me, kom!*

Marike weet zeker dat ze op de middelbare school
geen vrienden zal maken. Iedereen ziet natuurlijk
meteen dat zij anders is – om over haar rare familie
maar niet te spreken. Ze is stomverbaasd als een
jongen haar komt vragen... voor zijn vriend! Marike
zegt ja. Ze weet dat Samir haar toch niet ziet staan.
Hij is ook verliefd – *vreleifd*, schrijft hij in de
schoolkrant – maar dat moet natuurlijk wel op een
ander meisje zijn; mooier en langer dan zij...